お巡《まわ》りさん、その職務質問《しょくむしつもん》大丈夫《だいじょうぶ》ですか？

ルポ　日本のレイシャル・プロファイリング

國崎万智《くにざきまち》

ころから

はじめに

街で制服の警察官を見かけた時、あなたはその存在を気に掛けることなく、前を通り過ぎることができるだろうか。貴重品をなくしたり盗まれたりした時、「交番に行けば親身に話を聞いてもらえる」と思えるだろうか。

日本社会で、外見から「外国人」だとは思われない多くの人にとって、これらは簡単なことだ。あまりに当たり前のことなので、普段意識することすらないだろう。だが、肌の色や「外国人ふう」の外見的特徴を理由に、警察から「犯罪に関わっている疑いがある」と見なされ続けてきた人たちにとって、警察官との接触は「安心」「安全」を意味しない。

警察官など法執行官による人種差別である「レイシャル・プロファイリング」は、日本社会では「ないもの」とされてきた。大手メディアでその実態が報じられることはほとんどなく、問題自体が存在しないものとして扱われてきた。報道されたとしても、それはアメリカをはじめとする「海外で起きている問題」と見なされた。それが2021年以降、外国にルーツを持つ人たちや、この問題を「人権侵害だ」と感じた人たちが声を上げたことに端を発し、日本の警察官による人種差別の実態が可視化され始めた。

私は2021年から、日本の警察による人種差別的な職務質問の問題の取材を続けている。この社会には、今まさにレイシャル・プロファイリングによって苦しめられ、尊厳を踏みにじられている人たちがいる。被害に遭うのは外国出身の人だけではない。日本で生まれ育ち、10代の頃から警察官からマイクロアグレッション◉1を受け、犯罪の嫌疑をかけられた人もいる。

外国にルーツのある人たちに対する職務質問の現場で今、何が起きているのか。本書では、日本のレイシャル・プロファイリングの現在地をたどることから始めたい。

◉1 明らかな差別に見えないものの、「人種」・民族、ジェンダー、性的指向などにおけるマイノリティを対象に、相手が属する集団に対する先入観や偏見をもとに、その人個人をおとしめるメッセージを発する日常のやり取りをマイクロアグレッションと呼ぶ。悪意の有無は問わない。

◉本書の構成

1章ではまず、ハフポスト日本版の記者である私がこの問題の取材を始めるきっかけとなったひとつの動画を紹介する。2021年にこの動画がSNS上で広く拡散されたことは、日本のレイシャル・プロファイリングの転換点とも言える。さらに、実名を明かした上でインタビューに応じてくれた中尾英鈴《えいべる》さんの体験を通し、公権力による人種差別がどのような形で行われているのかを知っていただきたい。

日本のレイシャル・プロファイリングにはどのような特徴があるのか。その実態を明らかにするため、2021年にハフポスト日本版で独自調査を実施した。**2章**では、外国ルーツの当事者とその家族の計329人から寄せられた声と、当事者7人へのインタビューを基に、日本のレイシャル・プロファイリングにみられる4つの特徴を分析した。2022年に公表された東京弁護士会による大規模調査の結果も併せて紹介する。

3章は、そもそも「レイシャル・プロファイリング」がどのような行為を指すのか、職務質問の法的根拠は何かといった、本書を読み進める上での基本情報を解説した。レイシャル・プロファイリングは日本のみならず世界各国で確認され、人の命を奪いさえする。国際人権機関がこの問題をどう認識し、それを防ぐためにどんな手立てを各国に対して呼びかけているかをまとめた。レイシャル・プロファイリングへの認知が社会で広がりつつある中、警察もこの問題に対処する「表向き」の姿勢を示した。**4章**では、2021年12月に在日アメリカ大使館がレイシャル・プロファイリングを巡って異例の警告をした後にみられた、警察庁の動きを取り上げた。

5章と**6章**では、レイシャル・プロファイリングを生み出す警察組織の教育の問題に焦点を当て、人種差別的な職務質問が繰り返される背景を考える。ここでは、ハフポスト日本版が全国の47都道府県警察に対して行った「人種差別防止の取り組み状況」に関する調査結果を報告する。さらに元警察官へのインタビューでは、外国人に対して積極的に職務質問するよう教育を受けたとする証言を得た。「人権研修を行っている」と主張する全国の警察の「建前」と、元警察官が証言する「内実」を併せて読んでいただきたい。

2024年1月、肌の色や「人種」を理由としたレイシャル・プロファイリングは違法だとして、外国にルーツがある3人が国、東京都、愛知県を相手取り東京地裁に提訴した。人種差別的な職務質問の違憲性・違法性を問う歴史的な裁判だ。原告たちが司法へ訴えるに至った背景や、裁判を通じ国に対して求めていることを**7章**で取り上げた。

日本では、レイシャル・プロファイリングの典型例として人種差別的な職務質問の問題が注目されている。だが出身国や宗教、民族など特定の属性を持つ人たちを「犯罪者の疑いがある」と公権力がみなすことは、決して「新しい問題」ではない。

8章では、警察によるレイシャル・プロファイリングの違法性を問うた先駆的な訴訟事例である「ムスリム捜査情報流出事件」を振り返る。一連の裁判では何が争われ、どう裁かれたのか。この事件を巡る司法判断が、現在も続く日本のレイシャル・プロファイリングに与えた影響を考えたい。

公権力による人権侵害であるレイシャル・プロファイリングを防ぐために、どうするべきか。**9章**では、国際水準の人権が全ての人に保障され、被害を受けた際に適切に救済されるために必要な仕組みを記した。海外におけるレイシャル・プロファイリング防止の取り組みの事例も盛り込んだほか、警察庁が導入を進める「ウエアラブルカメラ（ボディカメラ）」事業の光と影を見ていく。

なお、今日の人類学では「人種」という概念に生物学的な実体はないというのが通説となっている一方で、社会的に作り出された「人種」は現在も存在していることを踏まえ、本書では「人種」や「白人」、「黒人」といった表現も必要に応じて用いている。

また、日本社会で実際に起きている人種差別の実態を伝えるため、本書内には差別に当たる表現や、公権力による人権侵害行為の描写を掲載していることをご理解いただきたい。

今の日本社会で「公権力から人種差別を受けた」と声を上げたとき、その訴えが司法の場でいかに軽く扱われてしまうのか。それを象徴する一つのケースを、ここで取り上げたい。

2024年5月21日。東京地裁で、ある国家賠償請求訴訟の判決が言い渡された。原告は、南アジア出身の40代女性とその長女。公園でトラブルとなり差別発言や暴言を繰り返していた男性に、自分の氏名と住所を同意なしに提供されるなど、警視庁の警察官から違法な対応を受けたとして、東京都に損害賠償を求めた。しかし、東京地裁（片野正樹裁判長）は原告の請求を棄却した[2]。

原告側は、警察官が当時3歳の長女を「お前」と呼び、「本当に日本語しゃべれねえのか」「どうせお前が蹴ったんだろう」といった言葉を浴びせたと主張。また、警察署内で、長女ひとりに対して複数の警察官が聴取する時間もあったと訴えていた。

一方被告側は、長女らに対して暴力的な発言はしていないと否定した。個人情報の提供や長女ひとりへの聴取は認めたものの、「同意があった」などと反論し、請求棄却を求めていた。

判決は、都の主張を全面的に認定し、警察官に違法行為は認められないと結論づけた。警察官が長女に対して「いきなり『お前』と呼びつけたり、高圧的な態度で事情聴取に及んだりしたというのは、いささか唐突」などとして、原告の主張を退けた。

判決文から読み取れるのは、原告女性らが主張した警察官の言動は、職務中の警察官としては「唐突」で「不自然」だから、訴えは事実として認められないとする論理だ。そこには、「警察官が市民を脅かすことなど起こり得ない」といった、裁判官の思い込みがあるのではないか。2024年になってなお、日本の司法がこの認識にとどまるという現実に愕然とする。

社会で抑圧されてきた人たちの訴えを、抑圧するマジョリティ側が軽んじ、透明化する「暴力」は現在進行形で起きている。だからこそ、法執行に関わる立場の人をはじめとして、「警察が人の見た目で差別なんてするの?」と素朴な疑問を抱く人に、本書が届いてほしい。レイシャル・プロファイリングの被害を受けた人々の言葉を聞くことなしに、この問題の解決などあり得ないからだ。

◉2 当該訴訟の争点や判決は、以下の記事に詳しい
「『〝警察官は悪いことをしない〟という裁判官のバイアス』。外国人女性の訴えを棄却した地裁判決に透けるもの」ハフポスト日本版、2024年5月22日配信
https://www.huffingtonpost.jp/entry/story_jp_664d6a67e4b087f368b57302

國﨑万智

目次

「人種」という用語について

本書では、以下の声明などを参照し、人種という用語をカッコ付き「人種」と表記しています。
生物学的には「人種」の概念は否定されているものの、社会的に差別対象とされている現実を踏まえ、便宜的な用語であることをご承知ください。

（著者）

1）国連教育科学文化機関（UNESCO）は1950年に「人種問題についての専門家による声明」を、1951年に「人種と人種差の本質についての声明」を発表し、人種の生物学的差異は存在しないと宣言した。日本学術会議「人種・民族の概念検討小委員会」は2021年の最終報告書で「現在では、人類集団をさらに人種という分集団に分類する生物学的根拠はないと考えられている」と説明している。（『人文』第48号）

2）アメリカ人類学会は1998年の声明「AAA Statement on race」で、「人間集団は生物学的に明確な境界線をもって区分されるものでも、生物学的に異なる集団をなすものでもないことが、今世紀に著しい発達を遂げた科学知識により明らかとなっている」として、「人種」概念が生物学的に有効ではないことを指摘した。（『アメリカの人種主義』、P20～21）
2019年には、アメリカ生物人類学会が声明「AABA Statement on Race & Racism」で、「生物学的に均質で、"純粋"な人間集団など存在しないし、存在したこともない」と明言。その上で、「人種は人間の生物学的多様性のパターンを正確に表しているわけではないが、人種差別、つまり人種を理由とする偏見や、異なる人種集団の固有の優劣に対する信念が、私たちの生物学、健康、幸福に影響を与えていることは、豊富な科学研究によって証明されている」などとして、人種主義が人々にもたらす影響を強調している。

3）『文化人類学事典』（2009年）は、「人種」の定義について次のように説明する。
「人種とは、遺伝的に異なった身体的特質をもつと社会的に信じられてきた集団である。かつては、皮膚の色、眼の色、毛髪の形状、体型等の身体形質により○○人種、○○人種というように、人類をいくつかの数に分類するための生物学的な概念である、と説明されていた。しかし今日では、人種は生物学的に有効な概念ではなく、社会的につくられた概念にすぎないというのが、国際的な通説となっている」

1章

外国ルーツの人たちにいま起きていること

◆「ドレッドヘアで薬物を持っている方が経験上多かった」警察官が発言

警察官による人種差別的な職務質問が、日本で行われている——。この問題に社会的な関心が集まる契機となったのは、2021年1月にX（旧ツイッター）で拡散された、1本の動画だった。ある男性が、東京駅構内で警視庁の警察官から職務質問を受けた際、そのやり取りを自身で撮影したものだ。男性は日本人の母とバハマ人の父の間に生まれたミックスルーツ。日本で生まれ育ち、国籍も日本だ。

〈以下、動画より〉

警察官 私が、あと思ったのは経験上ですよ、私の経験則として別にドレッドヘアが悪いわけではない、悪いわけではないですけど、ドレッドヘア、おしゃれな方で結構薬物を持っている方が私の経験上今まで多かった、そういうことです

男性 久しぶりにドレッド見たから止めたわけではないんだね、ぶっちゃけ本当に微塵もないのね？

警察官 そうそう、私のことを気になっていると思ったのと、先ほど言った、そういった

男性 経験上イコール髪型似てるだけで大体いつも

警察官 似てるとかじゃなくて

男性 要は大体こういうやつって（違法薬物を）持ってるって言いたいんでしょ

警察官 持ってる可能性がある。悪くはないんですよ、悪くはないんだよ。私の経験則で、一部の方でそういった物を持っている方がいた

男性 だから要は、こいつこんな髪してるからどうせ持ってんだろうなって思ったんでしょ

警察官 どうせ持ってるかどうかは分からない。持っている可能性があるってこと

男性がリュックを調べられ、犯罪の疑いが晴れて解放されるまでが動画に映っていた。男性は当時、一般に「ロックス」や「ドレッドヘア」と呼ばれる束状の髪型をしていた。上述のやり取りか

ら分かるように、なぜ自分に職務質問したのかを尋ねた男性に対し、警察官は男性のようなヘアスタイルの人は、違法薬物を所持していることが自らの経験上多かったからだと説明した。

ロックスやドレッドヘアは、ブラックカルチャーと結びつく伝統的な髪型だ。男性は2021年のハフポスト日本版の取材に、「警察官の説明からすれば、この容姿である限り、これから自分が何をしても警察官に疑われると言っているようなもの。それが嫌なら溶け込め、と言われている気がしました」と語った。

警察官の一連の言動を、所属先はどう認識しているのか。警視庁に取材したところ、同庁は「警察官が相手方の挙動を不審と認めた」ため職務質問を行い、所持品検査も相手の承諾を得た上だったとして、「違法な行為ではないものと認識している」と答えた。一方、警察官が「ドレッドヘア、おしゃれな方で薬物を持っている方が経験上多かった」などと発言したことへの受け止めを尋ねたが、同庁は回答を拒んだ。

4章で詳述するが、この件に関して警察庁は2022年の内部調査の結果、「不適切・不用意な言動があった」と認めている。

男性は、ブラックカルチャーを発信し、人種差別の問題に取り組む団体「Japan for Black Lives」に相談した。団体が男性の許可を得た上でネット上で動画を公開し、問題提起したところ、ハフポスト日本版を含む国内外の複数のメディアが報じた。

◆「君みたいな系統の人は」実名で証言した中尾英鈴さん

3章で詳しく見ていくが、警察などの法執行機関が、「人種」や肌の色、民族、国籍、言語、宗教といった特定の属性であることを根拠に、個人を捜査の対象としたり、犯罪に関わったかどうかを判断したりすることは「レイシャル・プロファイリング」と呼ばれる。

公権力による人種差別であるレイシャル・プロファイリングは、人間としての尊厳を傷つける人権侵害だ。私がそうはっきりと認識したきっかけは、中尾英鈴《えいべる》さんと出会ったことだった。

2021年8月、私はNPO法人「アフリカ日本協議会」の協力を得て、中尾さんと知り合うことができた。1996年に日本人の母とナイジェリア人の父のもとに生まれた中尾さんは、2～3歳まで東京で暮らし、大学卒業まで横浜で育った。

「自分のような経験を、日本で育つ次の世代の子どもたちにしてほしくない」と、顔と実名を明かすことを承諾した上で、複数回にわたってインタビューに応じてくれた。

2021年6月下旬、東京都新宿区。その日、中尾さんは仕事を終えて最寄り駅から自宅に向かっていた。公園の横を通りかかった時、中尾さんはパトカーが前方から近づいてくるのに気づいた。「ちょっといいですか」。警察官3人が車から降り、中尾さんに話しかけた。

「身分証見せてください」。職務質問はいつものことだった。一人でいる時は特に声をかけられやすい。水筒や財布を入れたカバンをチェックされ、チャックも一つひとつ開けられた。なぜ自分に声をかけたのか。理由を尋ねると、警察官は「パトカーを見た後、目を逸らしたから」だと説明した。中尾さんに、目を逸らしたつもりなどなかった。

身分証を確認後、一人が「ちょっとすみません」と言って、Yシャツやジーパンなど服の上から中尾さんの身体をパタパタと触った。これまでに何度も経験した所持品検査だった。突然、男性警察官の手が中尾さんの局部に伸び、触られた。「何するんですか」。とっさの出来事に状況を飲み込めず抗おうとすると、20代の中尾さんと同世代に見える若手警察官はなだめるように言った。

「パンツ履いてますよね？　ここに隠す人がいるんですよ」

警察官は、再び服の上から中尾さんの身体を調べ続けた。時間は午後9時ごろ。飲食店に向かう人たちが行き交う中、中尾さんは通行人から向け

中尾英鈴さん。職務質問を受けた場所で、当時の状況を振り返った

られる視線と恥ずかしさに耐えた。
「ドラッグを下着に隠す事例が実際にはあるのかもしれません。でも何の前触れもなく下半身を触られるのはあまりに雑な扱いで、嫌でした」

中尾さんが初めて職務質問を受けたのは、中学を卒業した頃。現在身長は180センチを超えるが、背が特に伸び始めた時期だ。それ以来、2〜3カ月に一回の頻度で職務質問されるようになった。数十回に及ぶ職務質問の経験の中でも、警察官から言われた忘れられない言葉があると中尾さんは明かす。

大学生だった2017年、モデルの仕事でロケ撮影の移動中、東京・渋谷の大通りを歩いていた時だった。日本人の友人3人も一緒だったが、中尾さんだけ警察官に呼び止められ、身分証の提示を求められた。理由を問うと、40〜50代に見える男

高校時代の中尾英鈴さん。中学を卒業した頃から、頻繁に職務質問されるようになったという（本人提供）

性の警察官は、半笑いでこう答えた。

「君みたいな系統でそういう髪型の人は、薬物を持ってることが多いから」

「さすがにその髪型だから、止めさせて」

中尾さんは高校卒業時から、ほとんどの時期をいわゆるドレッドヘア（ロックス）で生活している。モデルの仕事上の都合や、ファッションとして選んでいるだけではない。伸ばすと広がりやすい自分の髪質では、ドレッドヘアにしないと毎日の手入れが大変になるからだ。同じ頃、足立区の五反野《たんの》駅近くで受けた職務質問でも、ドレッドヘアが理由だと説明された。その時も、警察官は一緒に歩いていた日本人の同僚には疑いを向けることなく、中尾さんにだけ身分証を見せるよう求めた。

「見た目で『怪しい』と言うなら、一緒にいる仲間も疑うはず。でも自分だけが止められるというのは矛盾しています。口では直接的に言わなくても、日本人っぽくない見た目で犯罪の疑いがあると判断しているように感じます」

警察庁の犯罪統計書によると、2021年に検挙された刑法犯25万5500件（交通業過を除く）のうち、職務質問が端緒となったのは2万2076件。職務質問が警察官の職務の一つであり、犯罪検挙の端緒になり得ることは中尾さんも理解している。それでも、「人種」や見た目の特徴を理由に犯罪の嫌疑があるかを判断するやり方に、違和感をぬぐえないという。

中尾さんに対し、「外国人は犯罪の割合がデータ上高いので、どうしても見た目で『ふるい』

をかけて、日本人じゃない人から取り締まらないといけない」という趣旨の発言をする警察官もいたという。2章で詳しく取り上げるが、ハフポスト日本版が2021年に実施したアンケートにも、同様の訴えが複数届いた。「外国人の犯罪率の高さ」を根拠に、警察官が「外国人ふうの見た目」の人に狙いを定めた職務質問を正当化する主張だ。

だが、「外国人は犯罪率が高い」という言説は根拠不明で不正確であることが、法務省の犯罪白書や総務省の人口推計などの公的データを基にしたハフポスト日本版の検証で明らかになった◉1。また、仮に日本国籍を持たない人たちの犯罪率が日本国籍を持つ人と比べて高いという計算結果になったとしても、それだけをもって「外国人は罪を犯しやすい」という主張を裏付けることはできない。犯罪の検挙数は警察の取り締まり方針によって左右されるためだ。そもそも、特定の「人種」や民族、出身国などの属性を根拠に犯罪関与を疑ったり、ある集団に属する人に犯罪の傾向を一律に当てはめたりする行為が人種差別であることは、言うまでもない。

中尾さんは現在、日本を離れ、「Abel（エイベル）」の活動名で主に欧州を拠点にモデルとして活躍している。出国前、「モデルはファッションのトレンドの中心として見られます。自分のような容姿や肌の色が自然と目に触れることで、海外ルーツの人に対する認識がプラスに変わり、次の世代の子どもたちが生きやすくなってほしい」と取材に語っていた。

◉1　検証の詳細は、『レイシャル・プロファイリング　警察による人種差別を問う』（宮下萌・編著、大月書店）第1章を参照。

2章 レイシャル・プロファイリングの何が問題か

アンケートで浮かんだ日本の特徴

◆329人が訴えを寄せた

私がレイシャル・プロファイリングの取材を始めた2021年当時、人種差別的な職務質問を巡る全国的な調査は例を見ず、新聞やテレビの大手メディアによる掘り下げた報道もなかった。外国にルーツを持ち日本で暮らす人たちは、日々どのような職務質問を経験しているのか。1章の動画の男性や中尾さんのような事例は氷山の一角なのではないか。日本のレイシャル・プロファイリングの実態を知った上で、解決への道筋を探したい。その思いから、私はアンケートを募ることにした。質問票の作成に当たっては、探査報道に特化したジャーナリスト組織「Tansa」の助言を得た。

調査は２０２１年9月からインターネット上で行い、日本で暮らす外国人や外国にルーツのある人、またはその家族と支援者を対象とした。質問票は日本語と英語を用意し、同年12月末時点で計３８４人から回答を得た（調査対象外からの回答は除く）。

このうち、

- 職務質問の際に人権侵害だと感じたり、嫌だと思ったりした体験を記入したのは３２９人
- 職務質問を受けたことはあるが、具体的な体験の記述がない人は13人
- 職務質問で人権侵害だと感じたり、嫌だと思ったりした経験はないと答えたのは24人
- 職務質問を受けたことがないと回答したのは12人

――だった。

職務質問の回数別では、

- 1～3回　１９０人
- 4～10回　１２２人
- 11回以上　53人
- 分からない　３人

――との結果になった。

アンケートに寄せられた声と、インタビューの承諾を得た7人への聞き取りから、日本の警察によるレイシャル・プロファイリングが疑われる職務質問には主に次の4つの傾向があることが分かった。

① 「人種」や海外ルーツの見た目が職務質問をした理由だと説明された
② 名前や日本語のアクセントを確認後、警察官の態度が変わった
③ 職務質問の理由を明確に説明されなかった

職務質問を受けた時、「外国人または外国にルーツを持つ人である」事以外に、警察官から声をかけられる理由があったと思うか？

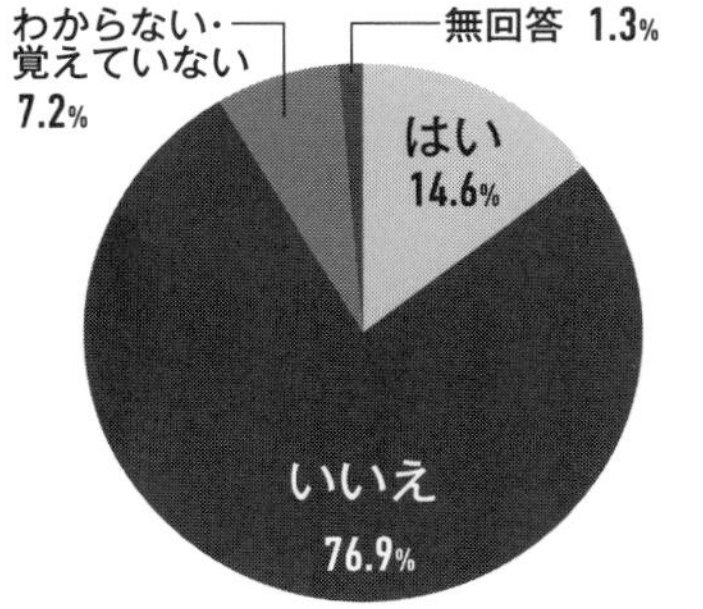

出典：東京弁護士会の調査結果

民族的ルーツと、過去5年間の職務質問の回数

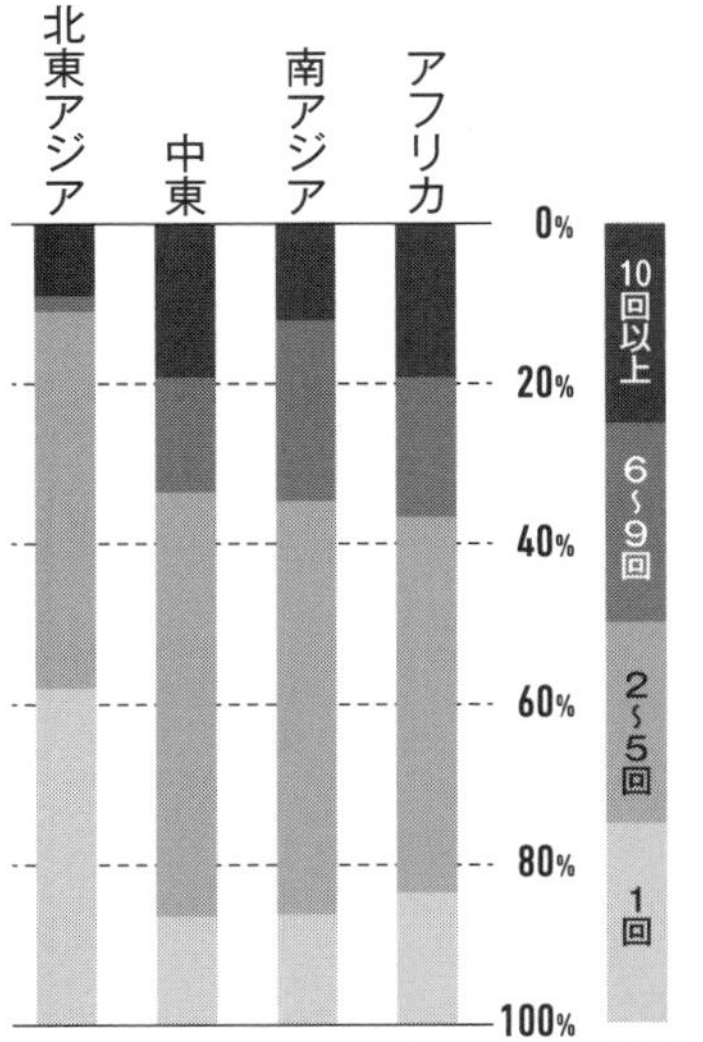

出典：東京弁護士会の調査結果

④ 許可なく所持品検査をされた

以下では、傾向ごとの訴えの一部を紹介する。( )内は、出身国や人種的ルーツ、年代、性別、居住地の順。

今回の調査は個別の体験や証言を集めることが目的で、「人種」・民族的ルーツごとの割合などの統計をとる趣旨のものではない。また、「黒人」「白人」といった肌の色に基づいた表記は、元の回答の通りに掲載している(英語の回答は日本語に訳した)。

【ケース①】「人種」や海外ルーツの見た目が職務質問をした理由だと説明された

アンケートの回答で特に多かったのは、なぜ自分に職務質問したのかを警察官に尋ねた際に、「外国人だから」など海外ルーツの見た目が理由だと説明された、という訴えだ。

- 自転車に乗っていたら止められ、自転車の(防犯)登録証を見せるよう要求された。「外国人だから止めたんですか?」と警察官に聞くと、彼は問題視していないかのように微笑みながら、「そうです。外国人が自転車に乗っていたら、たくさん止めることにしています」と言った。その警察官が大きな声で、しかも明らかに誇らしげにそう言ったのを聞いて、理解し難いと感じた。(白人・アメリカ人、30代男性、香川)

■15年くらい前ですが、朝の出勤の時間帯に駅で警察官から職務質問されました。スーツで仕事に行く時に職務質問され、大体週に一回くらい。不審に見えるか聞いたら「外国人だから一応ね、念のため」と言われました。しかしある時、在留カードの国籍でカナダ人とわかったら「あ、カナダの人？　失礼しました、いいですよ行って」と言われました。外国人だからと職務質問するのはやめて、職務質問する正当な理由を示してほしいです。（パキスタン系カナダ人、30代男性、配偶者が日本人、東京）

■銀行のATMから出たら覆面パトカーが寄ってきて、職務質問された。在留カードの提示を求められ、どこで働いているのか、どこに行くのかなどを尋ねられた。ただただ強引だった。なぜ私に職務質問するのかと尋ねると、警察官は「定期的に外国人をチェックしている」と言った。（カナダ出身、50代男性、青森）

■勤め先の学校からバス停まで歩いているところを呼び止められた。警察官が交番から飛び出てきて、私を呼び止め、身分証を要求した。なぜかと聞くと「最近、外国人が多くなったから」と説明された。２年近く働いていた職場の前でこのようなことが起き、屈辱的だった。（アフリカ系アメリカ人、30代女性、夫が日本人、長崎）

【ケース②】名前や日本語のアクセントを確認後、警察官の態度が変わった

身分証で名前を確認したり、日本語のアクセントを把握したりした後、警察官の態度が変わったとの声も多く寄せられた。このケースは、主に中国や韓国など東アジアにルーツのある回答者に特徴的だった。職務質問の開始時点では「日本人」と見分けがつかないが、コミュニケーションを継続する中で（日本国籍を持つ場合も含めて）「外国人」と判断し、警察官の態度が粗暴になった、という体験だ。

インタビュー▼ローワンさん、母がスイス人・父が日本人。小学生の頃から日本で育つ

4、5年前、大阪府内で勤務先から車で帰る途中、後ろからきたパトカーに呼び止められました。40代くらいの男性の警察官2人が免許証で名前を確認すると、丁寧だった警察官たちの態度が「警戒モード」に一変し、「日本の方じゃないですよね。今時はあなたみたいな人が脱法ハーブやってることが多いから車内を検査します」と言われました。明らかに名前を見てそう言われ、耳を疑いました。車内検査は20分ほど行われました。

大分で大学に通っていた頃は多い時で月に1回、自転車に乗っている時に職務質問され、「どことのハーフなの？　お父さんお母さんどっち（が外国人）？」といった、「人種」やルーツに関わることをほぼ必ず聞かれました。なので大阪で「あなたみたいな人」と言われた時も、

一瞬絶望を感じたけれど、「海外ルーツ」を一括りにして犯罪の疑いをかける警察官が多いのだと受け止めました。

インタビュー▼韓国人、30代女性、東京

終電を降り、自転車で自宅に向かっていた時に職務質問を受けました。制服を着た男性の警察官で、40～50代に見えました。最初は「身分証を見せていただいてもよろしいでしょうか」とすごく丁寧な対応でしたが、運転免許証を見せると名前から外国人であることが分かったのか態度が急変しました。笑顔が消え、「在留カードは?」とタメ口で求められました。

その後も、なぜ深夜に自転車に乗っているのか、自転車は自分のものなのかと疑われ、自転車の照会もされました。免許証を見せた直後にあまりにもあからさまに態度が変わったので、何か犯罪があったのか、なぜ自分が止められたのかを尋ねたのですが、質問は全て無視されました。外国籍だと分かる見た目でもないので、国籍を確認した後に態度が豹変したことがはっきり分かります。外国人であっても日本人と同じように対応してほしいです。

インタビュー▼中国人、20代男性、東京

2011年に留学生として来日し、10年間で職務質問を受けたのは2回。一度目は2012年ごろで、東京都内で車に乗っていた時にパトカーから停止を求められました。免許証を見せて名前から外国人と分かった瞬間、警察官の目つきが変わりました。在留カードも見せるよう要求されました。交通違反をしていたわけでもないので、在留カードを確認したらすぐに終わると思っていたのですが、財布も車の中も細かく調べられました。なぜ財布を見せないといけないのか尋ねると、「他の人のカードが入っているかもしれない」と言われました。

泥棒だと疑うような話し方で、嫌な思いをしました。言葉遣いは丁寧でも、協力しないといけない雰囲気でほぼ強制でした。20～30分ほど拘束され、その間通行人から変な目で見られていました。外国人だと分かった瞬間に態度が変わるのは差別です。

もう一回は2013～14年ごろ、大阪でコンビニの駐車場に車で入った時、2人の警察官から声をかけられ職務質問を受けました。最後まで丁寧な対応でしたが、免許証を見せた後になぜか警察官がさらに2人ほど増えたのが気になりました。「外国人だから危険だ」と思われているように感じました。職務質問をされたくないのと、(外国人とわかると)変な目で見られることが多いので、外では中国語をあまり話さないようにしています。

【ケース③】職務質問の理由を明確に説明されなかった

職務質問を繰り返し受ければ、「なぜ何度も犯罪関与を疑われるのか」と疑問を抱くのは当然だろう。だが、警察官に理由を聞いても説明されなかった、という声も多かった。3章で触れるが、職務質問は警察官が誰彼構わず思うままに行えるものではなく、法律で要件が定められている。だが実際には、その要件を満たさず、「何を不審と認めたか」という合理的な説明を警察官がしない、あるいはできないままに職務質問が行われている。

▪勤め先の学校の前で呼び止められ、生徒の目の前で所持品検査をされたことがある。最後に職務質問された場所は最寄り駅で、一日で最も混雑する時間帯だった。なぜ自分を止めたのかを尋ねたが、警察官がはっきりと答えてくれなかったので、個人情報を提供することも、所持品検査も拒否した。警察官は、私が口論の様子を撮影することを認めなかった。「外国人だから止められたのか」と聞くと、警察官は怒って、「捜査に同意し、個人情報を教えなければ交番に連れて行く」と言い始めた。結局、私は承諾し、彼らはバッグの中を全てチェックした。大勢の人が見ている前での出来事だった。（白人、30代男性、東京）

▪なぜ職務質問されたのか知りたい。これまで何度も何度も職務質問で止められたが、理由を教えてもらったことは一度もない。（アメリカ出身、30代女性、岡山）

【ケース④】許可なく所持品検査をされた

カバンやポケットの中などを調べる「所持品検査」は、職務質問の付随行為として認められている。アンケートでは、同意していないのにバッグや財布の中を探られたといった、違法性が疑われる事案の訴えも複数寄せられた。

職務質問は行政警察活動のひとつであり、任意処分として行われなければならない。相手の意思に反し、重要な権利・利益に対する侵害や制約を伴う強制手段の使用は禁止されている。本人の許可なしにバッグや着衣などに手を入れて所持品を取り出すといった行為は、される人の不利益が大きいことから、必要性が極めて高いといった異例な場合を除き認められないと解されている。それにも関わらず、同意がないままに違法の疑いの強い所持品検査が行われている実態がアンケートから浮かび上がった。

■ ２０２１年11月下旬に東京の上野駅で呼び止められ、警察官に体（ポケット）とバッグを同意なしに調べられた。（アメリカ人、父はスペイン人・母はアメリカ人、40代男性、埼玉）

■ 警察官の方は財布とカバンを見るねと言うだけ言って、許可をしていないのに見られたことがありました。「外国人のクレジットカード犯罪が多いから」と言いながら、財布の（カードを）一枚一枚をチェックされ、カバンの隅々まで確認されました。外国人という理由だけでこのような強引な職務質問が行われたのです。私はこの対応が腑に落ちず警察

の相談窓口に訴えましたが、相手にしてもらえませんでした。(在日韓国人4世、20代男性、東京)

「職務質問を100回以上は経験していると思う」「1カ月間で4回も警察に職務質問され、在留カードを見せるよう要求された」――。ここで挙げた4つの傾向以外にも、頻繁に職務質問を受けているとの訴えも多く寄せられた。何度も職務質問をされたり不当な扱いを受けたりしたことから、警察官との接触を避けるために行動範囲や移動手段を制限し、身なりを変える人もいる。

- 日本では二度と自転車に乗らない。職務質問された場所を、今は完全に避けている。(白人・アメリカ出身、20代女性、鹿児島)
- 外見から白人と気づかれないよう、髪を隠したりサングラスをかけたりしている。(アメリカ出身、50代女性、神奈川)
- 改札の外で朝食を買いに行こうとしたところ、警察官が駆け寄ってきて身分証を要求された。急いでいると言ったが、結局運転免許証を見せた。

さらに「他人名義のカードを持っていますか」と尋ねられ、私は愕然とし、交番のすぐ前まで行った。財布の中の全てのカード、携帯ケース、化粧ポーチを含むバッグの中を調べられた。職務質問の現場にいなかった警察官が、私の夫に電話で言った職務質問の理由は、私が「警察官を見て目を逸らした」ことだった。これは全くの嘘で、私は彼らを見てさえいなかった。彼らは私の後ろから駆け寄ってきたから。

今はその駅を避けている。一人では怖くてその場所を歩けないし、考えただけで震える。あまりにもあからさまで恥知らずな嘘をつかれたので、泥棒に入られることよりも、（警察官に）気まぐれに何かされることの方が怖い。（白人・アメリカ人、30代女性、東京）

◆社会全体に負の影響をもたらす

「誰かに傷つけられたり詐欺に遭ったりしても、警察に助けを求めようとは思えない。なぜなら彼らの私に対する態度は、いつも理由もなく自動的に（犯罪の）疑いを向けているようなものだから」（アメリカ人男性、30代、東京）

アンケートには、差別的な職務質問の体験で抱いた警察への不信感や恐怖心をつづる人もいた。国連人種差別撤廃委員会も一般的勧告（２０２０年）で、レイシャル・プロファイリングが「違法であることに加え、一般的な法執行手段としても効果がなく、非生産的となる場合がある」とした上で、社会的な影響について次のように言及している。

「不当な扱いを受けたという感覚や屈辱感、法執行機関に対する信頼の喪失、二次被害、報復への恐怖、法的権利や支援に関する情報へのアクセスが制限されることにより、犯罪の通報や、情報分析を目的とした情報が減少する可能性がある」

レイシャル・プロファイリングによって、法執行官に対する市民の信頼が損なわれ、結果として犯罪摘発が遠のく恐れがあるという指摘だ。レイシャル・プロファイリングが招き得るこうした状況は、社会全体にとってもマイナスであることは明らかだ。

◆ルーツ別で「職務質問の受けやすさ」に差。東京弁護士会の大規模調査で判明

2022年9月には、外国にルーツを持つ人に対する職務質問に関する調査結果を、東京弁護士会（東弁）の「外国人の権利に関する委員会」が発表した。同会は2007年にも外国にルーツのある人たちを対象に職務質問の体験を尋ねるアンケートを実施し、有効回答数は約120件だった。15年ぶりとなった今回の調査は、前回を大きく上回る2094人から回答を得た。レイシャル・プロファイリングに関する国内の調査で、これほどの規模の回答を集めたものは同会が初となる。

東弁の調査は外国にルーツがあり日本に在住する人を対象とし、2022年1~2月にインターネット上で回答を募った。質問票は日本語、英語、ベトナム語、フランス語、ドイツ語の5カ

国語を用意した。回答者の内訳は男性58％、女性34％、その他1・5％。国籍別（複数回答）ではアメリカが32％で最も多く、その他16・4％、日本16％と続いた。

過去5年間ほどで職務質問を受けた人は62・9％。回数別では「1回」25・6％、「2～5回程度」50・4％、「6～9回程度」10・8％、「10回以上」11・5％だった。「不審事由」がなく、外国にルーツを持つこと以外に警察官から声をかけられる理由はなかったと認識している、と答えた人は76・9％に上った。

東弁の調査で特に重要なポイントは、民族的ルーツと職務質問の回数の関連性を裏付けるデータだ。過去5年間に職務質問された人のうち、回数が「10回以上」または「6～9回」だった人の割合を、民族的ルーツ別に比較。その結果、アフリカ（37・1％）、南アジア（34・5％）、中東（33・3％）の順で割合が高く、これらの地域にルーツを持つ人は頻度が高いことが判明した。一方、中国や韓国などの北東アジアは10・6％となり、明らかに低い結果となった。ここからは、警察官が「外国人ふう」の見た目で職務質問の対象者を選びやすいとの傾向が浮かび上がる。

具体的な職務質問の体験を尋ねる自由記述では、ヘイトスピーチや人権侵害に当たる扱いを受けたという訴えが寄せられた。

「終始乱暴で失礼な態度で、いきなりズボンを脱がされ、下のものを見られた。侮辱的だし差別的。とても心が傷ついた。何も持っていないのを確認したら、謝りもせず、脱がせたまま立ち去っていった」

「『お前ら外国人は国に帰れや』と怒鳴りつけられました。（中略）警察を見るたびに怯えています」

「理由を聞かされず腕まくりなど身体検査をされた」

外国人だと判明した後に態度が変わった、という声も複数あった。

「外国籍とわかると態度が変わる人が多いので怖い」

「外国人であることが分かった途端、警察官の態度が急変しタメ口で職務質問が行われた」

こうした訴えは、ハフポスト日本版のアンケートでも明らかになった日本のレイシャル・プロファイリングの傾向と一致している。

なお、東京弁護士会の最終報告書はホームページに掲載されている◉1。

◉1　https://www.toben.or.jp/know/iinkai/foreigner/news/2021.html

◆無実の人の身体的自由さえ奪う

「犯罪に関わっていないなら、おとなしく応じれば済むことだ」として、レイシャル・プロファイリングを甘んじて受け入れるように促す主張がある。だがそれは、公権力から日々積み重なるように差別的な扱いを受ける人の被害経験をあまりに軽く捉えすぎている。

「市民を守る」はずの警察官から「外国人ふう」の見た目を理由に、犯罪関与の疑いをかけられることの精神的苦痛。職務質問中、「不審者」「犯罪者の疑いがある人物」として周囲の目に晒されることの恥ずかしさ、屈辱感。職務質問を回避するために行動範囲を変える、外国語を話すことをためらうなど生活を制限される。「なぜ職務質問をしたのか」について、合理的な説明をされないことへの不信感。高圧的な警察官の態度や、同意なしの所持品検査への恐怖感、身体への侵害。犯罪に巻き込まれたり、事件を目撃したりしても、通報や捜査への協力をしたくなくなる——。レイシャル・プロファイリングが生み出す負の影響は多岐に

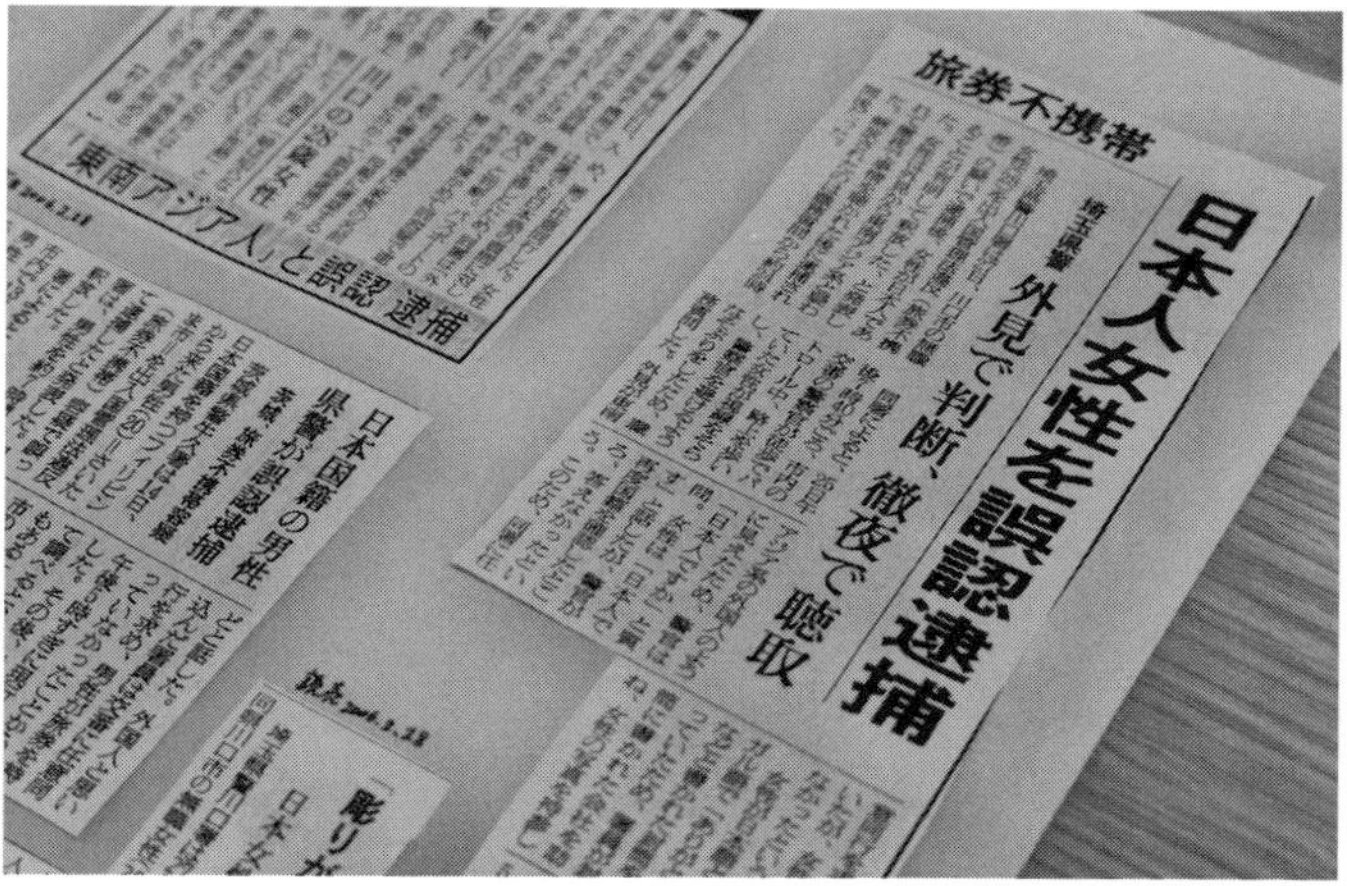

2006年の埼玉県警による誤認逮捕を報じる全国紙

わたる。

「外国にルーツがある人」だけに降りかかることではない。２００６年には、外見から「外国人」と判断された日本国籍の女性が入管法違反（旅券不携帯）の疑いで誤認逮捕され、24時間にわたって身体を拘束されるケースも起きている。女性と同じように、日本国籍を持つ人が見た目や話し方などで「外国人」と判断され、誤認逮捕・一時拘束される事件は２０１４年にも発生した。

こうした事例は、レイシャル・プロファイリングが犯罪に関与していない無実の人の身体的自由までも奪いかねない恐ろしさを裏付けている。

3章 レイシャル・プロファイリングとは何か

◆職務質問が認められるのはどんな時か

職務質問は、警察官が好き勝手にどんな人に対しても行って良いものではない。職務質問の法的根拠となる「警察官職務執行法」第2条1項は、次のように定めている◉1。

警察官は、異常な挙動その他周囲の事情から合理的に判断して何らかの犯罪を犯し、若《も》しくは犯そうとしていると疑うに足りる相当な理由のある者又は既に行われた犯罪について、若しくは犯罪が行われようとしていることについて知っていると認められる者を停止させて質問することができる法文上、警察官の主観的な思い込みで職務質問することは認められていない。つまり、挙動や周囲の事情と関係なく、肌の色や髪型などの容姿、「人種」・民族的ルーツ、国籍などを理由に職務質問の対象を決める行為は、法律上の要件を満たさないのだ。

◉1 https://elaws.e-gov.go.jp/document?law_unique_id=323AC0000000136

◆レイシャル・プロファイリングの定義は

日本では「レイシャル・プロファイリング」(Racial Profiling)という言葉が特に2022年以降広まったが、国際人権機関はそれ以前から、世界各地で起きているこの問題に注目し、懸念を表明していた。

レイシャル・プロファイリングとは、具体的に何を指すのか。

国連人種差別撤廃委員会は2020年の一般的勧告で、国際人権法上はレイシャル・プロファイリングの普遍的な定義はないと説明している。一方勧告の中で、国際人権機関などがこれまでに採択したレイシャル・プロファイリングの定義を列挙し、それらに共通する要素を次のように示した。

(a) 法執行機関による行為

(b) 客観的な基準または合理的な正当化事由によって動機付けられたものではない
(c) 人種、肌の色、世系、国や民族的出身、またはこれらの事由と関連する他の事由（宗教、性別やジェンダー、性的指向や性自認、障害・年齢、移住者としての地位や職業、その他の地位）との交差に基づく
(d) 出入国管理や犯罪活動、テロリズム、法律違反とされる・法律違反の可能性があるその他の活動との闘いといった、特定の文脈において利用される

これらの共通要素を踏まえた上で勧告では、2001年のダーバン行動計画で説明された以下の表現をレイシャル・プロファイリングの定義として採用している。

「いかなる程度であれ、人種、肌の色、世系や国、民族的出身を基に、個人を捜査活動の対象としたり、個人が犯罪行動に関わったかどうかを判断したりする警察及び法執行の慣行のこと」

勧告によれば、行為の主体は警察官に限らず、出入国管理に関わる職員を含むあらゆる法執行官が該当する。また、職務質問などの警察行政活動だけでなく、強制捜査、家宅捜索、テロの摘発、監視の対象化、国境・税関検査、出入国管理に関わる決定といった活動も対象行為に入る。

レイシャル・プロファイリングの被害を受けやすい人や集団として、移住者や難民、アフリカ系、先住民族や民族的マイノリティなどを挙げている。

◆人種差別撤廃条約とレイシャル・プロファイリング

日本が加入する人種差別撤廃条約は第1条で、「人種差別」の定義を次のように説明する。

「人種差別」とは、人種、皮膚の色、世系又は民族的若しくは種族的出身に基づくあらゆる区別、排除、制限又は優先であって、政治的、経済的、社会的、文化的その他のあらゆる公的生活の分野における平等の立場での人権及び基本的自由を認識し、享有し又は行使することを妨げ又は害する目的又は効果を有するものをいう

ここから分かるように、人権や基本的自由を害する「効果」があれば差別となる。「差別する意図はなかった」「差別するつもりはなかった」といった主張は、差別がなかったことの証明にはならない。

また同条約は第2条で「個人、集団又は団体に対する人種差別の行為又は慣行に従事しないこと」と、「国及び地方のすべての公の当局及び機関がこの義務に従って行動するよう確保する」ことを各締約国に義務付けている。

上述の2020年の一般的勧告は、同条約の第5条を挙げ、レイシャル・プロファイリング禁止の根拠となる規定だと示している。

第5条　第2条に定める基本的義務に従い、締約国は、特に次の権利の享有に当たり、あらゆる形態の人種差別を禁止し及び撤廃すること並びに人種、皮膚の色又は民族的若しくは種族的出身による差別なしに、すべての者が法律の前に平等であるという権利を保障することを約束する

このように国際人権機関が採用する定義や条約上の位置づけに照らすと、1章で取り上げた動画の男性や中尾英鈴さんが体験した職務質問は、レイシャル・プロファイリングに当たると言える。

4章　警察はどう動いたか

◆「組織防衛」に主眼を置いた通達

外国ルーツの当事者や支援者たちが声を上げたことで、警察官による人種差別の問題が知られ始めた2021年。12月には、ついに外国公館からも異例の注意喚起が出た。在日アメリカ大使館は同月6日、外国人が日本の警察からレイシャル・プロファイリングの疑いのある職務質問などをされたという報告があったとして、日本で暮らすアメリカ国民に対して公式ツイッター（現X）で警告を発した。

同大使館のアメリカ市民サービス課は、「レイシャル・プロファイリングが疑われる事案で、外国人が日本の警察から職務質問を受けたという報告がありました。数名が拘束され、職務質問や所持品検査をされています」などと投稿。「拘束された場合は領事館への連絡を要請してください」と呼びかけた。

大使館の投稿は国内メディアだけでなく、ロイター通信やブルームバーグなど複数の海外メディアでも報じられた。注目すべきは、投稿からわずか11日後、警察庁が全国の都道府県警察に出した文書の内容だ。

『年末年始等における地域警察活動の実施に関する留意事項について』と題する地域だよりが、12月17日付で全国の警察に送付された。私はこの文書を情報開示請求で入手した。年末年始に向けて、警ら活動を強化することなどを求める内容だった。

この中で、同庁は「職務質問の対象となる者で

在日アメリカ大使館によるツイッター（現X）の投稿

あるかを判断する際には、その容姿や服装等の外見のみを根拠とすることのないよう指導するとともに、人種、国籍、ＬＧＢＴに対する偏見や差別との誤解を受けないようにするなど、職務質問の際における不適切・不用意な言動を厳に慎むよう指導を徹底されたい」と注意を呼びかけた。通知には、警視庁の資料『職質指導班だより』が参考として添付されていた。この中では次のように記している。

「職質対象者を、容姿（髪型等）や服装など外見だけで選別していませんか！　不用意な言動はトラブルのもとです！」

「近年、人種や国籍、ＬＧＢＴ等に対する偏見や差別が世界的に問題となっています。安易に外見のみで職務質問を実施した場合、『差別を受けた』などの抗議を受ける場合があり、大きな社会問題に発展する可能性があります」

警視庁の『職質指導班だより』（2021年3月）

『職質指導班だより』は、2021年3月に通知されていたことが警視庁への情報開示請求で判明した。1章で取り上げた「ドレッドヘアの人は薬物を持っていることが多い」という警察官の発言が波紋を呼んでから数カ月後だ。

これらの通達からは、警視庁や警察庁が、「人種」や国籍などのみを理由とした職務質問を問題だと認識し、対策しようという意図がうかがえる。その一方で、内部文書の表現から明らかなように、そうした職務質問が人種差別であり、人権侵害に当たるから認められないというロジックに基づいての注意喚起ではない。あくまで「トラブルや抗議を避けるため」という組織防衛を目的としており、警察がレイシャル・プロファイリングを人権問題として捉えていない現状を映し出している。

◆「不適切・不用意な言動」はたったの6件？

在日アメリカ大使館の警告や東京弁護士会の調査結果などを受け、国会の場でもレイシャル・プロファイリングの問題がようやく取り上げられた。2022年3月の参議院内閣委員会で、石川大我《たいが》議員（立民党）が当時の国家公安委員長の二之湯智氏に対し、「全国的な調査や実態把握が必要だと思います」と訴えた。これに対し、二之湯氏は「委員からご指摘がありましたように、警視庁の管内だけではなくて、全国的にどういうことなのかということもこれから調査をしていかなければならない。全国各地に多くの外国人が住む現実がございますから、委員のおっしやっていることも当然なことだと考えております」と答弁した。

警察庁はその後内部調査に乗り出し、同年11月、「人種」や国籍などを理由とした職務質問に関する全国調査の結果を発表した。4都府県警の計6件の職務質問で「不適切・不用意な言動があった」と認めた。調査は、全国の都道府県公安委員会などに寄せられた職務質問に関する相談が対象。このうち、「人種」や国籍、髪型などの容姿、服装といった特徴を理由とした職務質問の相談を都道府県警察が抽出し、警察庁が各ケースを精査した。同庁が「不適切・不用意な言動があった」と認定したのは以下の6件。

- 警視庁：職務質問の理由について、外国人が車を運転しているのは珍しいからと説明した
- 警視庁：職務質問の理由について、ドレッドヘアでおしゃれな人が薬物を持っていたことがあるためと説明した
- 神奈川県警：車両の検問時に、「ハーフですか」と質問した
- 神奈川県警：人身事故の取り扱いの際、氏名にカタカナが入っていたことを理由に外国人と思い込み、在留カードの提示を求めた
- 大阪府警：職務質問の際、「何人（なにじん）ですか」と質問した

■宮城県警：職務質問中に身分証の提示を求めた際、目鼻立ちがはっきりしていて、海外出身者または「ハーフ」の人かと間違えた、と説明した

警視庁の2件目の事例は、1章でも触れた東京駅で撮影された動画のケースだ。警察庁はこれらを不適切だと判断した理由について、「人種や国籍などに対する偏見や差別との誤解を受ける恐れのある言動が認められた」からだと説明した。一方で、いずれも「差別的な意図を持ったものではなかった」との見方を示し、「警察として、いわゆるレイシャル・プロファイリングがあったと判断しているわけではない」と取材に回答した。

同庁は、上記6件が発生した4都府県警察に対して個別指導を行ったという。今後の対応について、「引き続き法に基づいて適切かつ的確に職務質問が行われるよう、教育や指導を繰り返し行う」と述べるにとどめ、具体的な改善策は示さなかった。これまで問題自体が「ないもの」とされてきた状況を踏まえると、国が調査に乗り出したことは一歩前進といえる。だが調査対象は主に公安委員会に寄せられた相談に限られており、レイシャル・プロファイリング被害の中でもほんの一部だ。東京弁護士会やハフポスト日本版の調査結果から考えても、1年間に全国で6件という数字は明らかに実態に合っていない。そもそも国から独立した機関ではなく警察庁による内部調査であるため、客観性・公平性は担保されていない。

そして私が最大の問題だと考えるのが、警察庁が「差別的な意図を持ったものではなかった」

との認識を示したこと。差別を受ける側に不利益があればそれは差別であり、差別する側の意図の有無は関係ない。警察官に差別的な意図がなければ差別には当たらない、と主張するかのような警察庁の回答に、問題への理解のとぼしさが如実に表れている。

5章

人種差別防止の「ガイドラインあり」はゼロ

47都道府県警察への調査で判明

警察庁の通達が出た2021年12月以降も、外国ルーツの人に対するレイシャル・プロファイリングが疑われる職務質問の動画は、ネット上で度々投稿されている。なぜレイシャル・プロファイリングが行われてしまうのか。人種差別を防ぐための教育は警察内部で行われているのか。警察組織における人種差別防止の取り組み状況を把握するため、私は2023年8～11月、全国の47都道府県警察に対して調査した。その結果、警察官による人種差別を防ぐためのガイドラインを策定している警察は「ゼロ」であることが分かった。さらに警察庁への取材で、同庁による全国統一のガイドラインもないことが判明した。

調査では主に以下の点を尋ねた。

▽ 警察本部と警察学校で、人種差別を防止するための研修を行っているか。行っている場合、研修の中で人種差別的な職務質問（いわゆるレイシャル・プロファイリング）の問題を教えているか

▽ 研修で使用している資料

▽ 人種差別防止の研修の中で、外国にルーツのある当事者を講師として招いた講演会の有無

▽ 警察官による人種差別を防止するためのガイドラインの有無

◆8割が同一の回答

調査では、全47都道府県警察が「人種差別の防止に関する研修（または授業）を行っている」と答えた。加えて、「人種差別の防止に関する研修の中で、人種差別的な職務質問（いわゆるレイシャル・プロファイリング）の問題を教えているか」という質問に対し、8割に当たる39警察が「職務質問の際における留意点として、人種、国籍等に基づく差別的な取り扱いを行わないよう指導している」という同一の回答をした。

福島県警は、「人種差別防止に特化した研修は行っていない」と前置きした上で、「職務質問に関する研修の中で、レイシャル・プロファイリングに関して必ず触れている。ロールプレイング形

式の訓練や、職務質問を含めた外国人への対応要領の中で、差別的な発言をしないよう教えている」と答えた。このほか「警察学校の教官や部外講師が講義を担当し、講義の中でレイシャル・プロファイリングについても触れている」（山形）、「職務質問を含めた研修の中で、レイシャル・プロファイリングという言葉を使って教養を行っている」（大分）との回答もあった。

山梨県警は「人種・肌の色・国籍・服装等を端緒とした差別的な職務質問を防止し、外国人の人権等に配意した適正な職務執行を行うよう指導している」と説明した一方で、人権研修の中でレイシャル・プロファイリングの問題について教えているかを尋ねる質問には「個別具体の指導内容については、回答を差し控える」として答えなかった。

人種差別防止の研修では、具体的に何を教えているのか。研修内容を尋ねたところ、法務省発行の啓発冊子『人権の擁護』を教材に使用していると答えたのは32道府県。この冊子には主な人権課題として「外国人」の章があるが、ヘイトスピーチに関する記述が多くを占め、人種差別的な職務質問については盛り込まれていない。『人権の擁護』はインターネット上で公開されており、法務省人権擁護局のフロントページからダウンロードできる◉1。機会があればぜひ目を通していただきたい。

研修の資料として、警察庁が2022年9月に作成した『職務倫理教養の手引』（全79ページ）を挙げたのは13府県。情報開示請求をしたところ、この手引きで外国人の人権について記述があるのは1ページのみだった。「各種警察活動において、人種や国籍等に基づく差別的取扱いと誤解を受けないよう言動に留意しましょう」との注意書きがある以外に、どういった言動が差別に当たり得るかという具体的な説明はなかった。ここでも2021年の通達と同様に「誤解を受けないように」という、組織防衛の目的が明確に記されている。

このほか神奈川県警では、国際協力機構JICAの職員が警察学校の講義を担当し、「増加する訪日外国人の実情を踏まえ、国際社会における日本の立場、国際人としての国際交流のあり方を学び、外国人に対する差別の絶無、人権擁護の理解を深めている」としている。一方、多くの警察は「人権に配意した適正な職務執行に関する研修を実施している」(秋田)のように、具体的な研修内容を答えなかった。

各質問に対して「横並び」の同一の回答が多数あったのは、各警察が警察庁に「お伺いを立てた」上で答えているからだ。ある警察からは、「警察庁のチェックが終わっていないので、回答が遅れる」という連絡があった。また、正直に「警察庁の指導もあり(中略)回答は差し控えさせていただく」と質問票に記入した警察もある。警察庁の指導や許可がなくとも、それぞれが採用している取り組みをシンプルに答えさえすれば良いはずなのだが。

巻末の付録2に、全国の警察の回答をまとめて掲載した。どれほど多くの警察が「コピペ回答」をしているかがよく分かるリストになっている。具体的な研修内容を全く説明できていなかったり、「人種差別」を「人権差別」と複数回にわたって誤記したりする警察もあり、「建前」の脆さも垣間見える。お住まいの地域を管轄する地元警察がどんな回答をしたのか、チェックしてみてほしい。

◉1 https://www.moj.go.jp/JINKEN/jinken25.html

◆「プライバシーを侵害する恐れ」？

人種差別防止の研修で、外国にルーツのある当事者を講師として招いた講演会を行っているかを尋ねたところ、「なし」と答えたのは20道府県警。「部外講師のプライバシーを侵害する恐れがあるため、回答は差し控える」などとして、26都府県警は答えなかった。外国にルーツがある人が人種差別防止の研修の講師になることがあるか否かを明らかにすることが、一体どのように「プライバシーを侵害する」というのだろうか。全く同じコメントを出して回答を拒んだ26の警察は、もはや思考が停止しているとしか思えない。

三重県警は、「人権研修の部外講師として外国人講師を招いているが、レイシャル・プロファイリングや職務質問に特化しているわけではない。日本と外国の警察の違いを紹介し、外国人と接する時に相手が警察官に対しどのように感じることがあるかを伝えている」と答えた。「なし」と答えた警察のうち兵庫県警は、外国ルーツの当事者を招いての講演会はないとした上で、「通訳業務に従事する職員向けの研修で、外国人の講師が、自身の体験を基にレイシャル・プロファイリングについて説明し、注意喚起することはあった」と説明した。

◆「人権研修は受けたことない」元警察官らが証言

人種差別防止の研修や授業について、全ての都道府県警察が「行っている」と答えたが、警察経験者からはそうした研修を受けたことはないとの声が上がっている。

6章で詳しく紹介する40代の男性Aさんは、数年前まで警察官だった。昇任時を含めて約20年間のうちに警察学校に10回以上入校したが、「人種差別防止や人権に関する教育を受けた記憶はない」と語る。Aさんは、警察職員への教養を担う部署に配属されたこともあったが、「人種差別の防止を含む人権教育を行うよう指示されたことはなかった」と振り返った。「『人種や国籍に基づく職務質問はしないように』という文書が回ってきても、全ての警察官が目を通すわけではありません。現場で職務質問をする地域警察官が、レイシャル・プロファイリングの問題を学ぶ機会はほとんどないです」。Aさんが新人警察官の頃に受けた教育について詳しく聞いたインタビューは、次章に掲載する。

2023年に退職した西日本在住の元警察官の女性も、「人種差別防止の研修を受けたことは一度もありません」と取材に明かし、「警察内ではレイシャル・プロファイリングという言葉自体も浸透していません」と話した。

◆警察の取り組みは「非常に表面的」と専門家

人種差別防止に対する日本の警察の取り組み状況を、専門家はどう見ているのか。2章で取り上げたレイシャル・プロファイリングに関する東京弁護士会の調査を担当した宮下萌弁護士は、取材に次のように述べた。

「これまでは、(個人として参加した)警察庁や国家公安委員会との省庁交渉の場でレイシャル・プロファイリングへの見解を尋ねても、『人種などを理由とした裁量が発生することはない』という趣旨の主張が繰り返され、警察側は『問題自体が存在しない』という立場を貫いていました。ですが、レイシャル・プロファイリングが社会的に話題となった2022年以降は警察の認識が少し変わり、今回の各警察の回答からも、少なくとも『人種差別的な職務質問に対して何らかの対処をしなければいけない』という意識の変化は感じ取れます」

その上で、宮下弁護士は「研修で触れているとはいえ、内容は具体性に欠けて不十分」だと指摘する。26都府県警が講師のプライバシー保護を理由に、外国にルーツのある人を招いた講演会を開いているかについて答えなかったことに対しても「答えない理由になっていない」と付け加えた。

「本来市民を『守ってくれるはず』の警察官から、肌の色や人種的ルーツを理由に犯罪者予備軍として扱われる体験は、人としての尊厳を傷つけられること。公権力から差別を受けた人がどう感じ、具体的にどんな被害が生じるかを聞く機会がなければ、レイシャル・プロファイリングをしてはいけない理由が現場の警察官には伝わりません」として、当事者から話を聞く機会の必要性を強調する。

調査では、警察官による人種差別を防ぐためのガイドラインを作成していると答えたところは47都道府県警察で「ゼロ」だった。また、人種差別的な職務質問の防止を目的としたガイドラインの有無について警察庁に取材したところ、同庁はそれには回答せず「職務質問に当たっては人権に配慮した適正なものとなるよう、警察官に対する教育を繰り返し徹底しています」と述べるにとどめた。

レイシズムの問題に詳しい社会学者の明戸隆浩氏（大阪公立大大学院・准教授）は、全国の警察の回答に対し、「人種差別防止のガイドラインなしに研修すること自体に疑問がある。警察の現在の取り組みは、非常に表面的なものにとどまる」と話す。

アメリカ司法省は2003年、人種や宗教などへの偏見に基づく捜査を規制するガイドラインを策定。その後の改定で、性的指向や障害などを理由とした捜査活動にも広げた。2023年5月の最新版では、対象を従来の警察官や捜査官に加え、検察官や弁護士などにも拡大した。ガイドラインでは、「特定の国籍の人は罪を犯す可能性が高いという固定観念に基づき、個人を容疑者としてターゲットにすること」などを禁止している。一方で、特定の人物と特定の事件を結びつける信頼度の高い情報を得ている場合のように、「人種」などを捜査の手がかりにすることが認められる例外ケースも具体的に示している。

明戸氏はアメリカの事例を参考に、レイシャル・プロファイリングの問題に踏み込んだ全国統一の指針が日本でも必要だと話す。

「現場で犯人を早く探し出し治安を守ろうと職務に当たる中で、仕事に熱心な警察官ほど意図せずに人種差別をしてしまうことがある。それを防止するために、何がレイシャル・プロファイリングに当たるかをガイドラインで明示し、その基準を個々の警察官に浸透させるのが研修の本来の役割のはずです」（明戸氏）

◆ガイドラインや研修、国連の委員会も勧告

レイシャル・プロファイリングを防止する措置は、国際人権機関も求めている。国連の人種差別撤廃委員会は、2020年の一般的勧告で各国に対し、警察などの法執行機関によるレイシャル・プロファイリングを防ぐため、職務質問や所持品検査に関する明確な基準を盛り込んだガイドラインを策定するよう要求している。

このほか、独立した監視機構の設置や違反した場合の懲戒措置、法執行機関による差別防止に特化した必修の研修プログラムを実施するよう勧告。研修プログラムの開発と実施に当たっては、差別や偏見を受けている当事者グループが関わることが求められる、としている。

全国の都道府県警察への独自調査から分かるのは、少なくとも表向きには「人種差別の防止を目的とした教育を行っている」という姿勢を示そうとしていること、そして「ガイドラインをいずれの警察も作っていない」という事実だ。研修で使われている資料にもレイシャル・プロファイリングが人種差別であるという趣旨の記述や、何がレイシャル・プロファイリングに当たるかという

具体的な説明は一切なく、警察官たちが当事者から話を聞く機会も設けていない。日本の警察による人種差別防止のための取り組みは、国際人権機関が示す国際基準の方策からは程遠い。

◉1　https://www.moj.go.jp/JINKEN/jinken25.html

6章

レイシャル・プロファイリングを生み出すもの

警察官経験者たちの証言

なぜレイシャル・プロファイリングが常態化してしまうのか。ここまでみてきた事例はいずれも「警察官の人権意識に問題があった」として、あくまで人権侵害行為の責任は個々の警察官にあると片付けて良いのだろうか。レイシャル・プロファイリングがこの社会に蔓延する根本の原因を探りたく、私は元警察官の40代男性Aさんに話を聞いた。Aさんは「新人の頃、外国人に対して積極的に職務質問するよう教え込まれた」「人権に関する教育はほぼ皆無だった」と証言した。Aさんの体験から、レイシャル・プロファイリングの根底にある警察組織の課題について考えたい。

「人を救う仕事なのに、人権教育が皆無であることに疑問を感じていました」と振り返る元警察官のAさん

◆「外国人に積極的に職務質問するよう教え込まれた」

Ａさんが子どもの頃、暮らしは困窮し、電気代が払えずろうそくで夜をしのぐ日も珍しくなかった。賭博《とばく》好きの父は母によく暴力をふるい、金を無心した。母が顔にあざを作り、泣く姿が記憶に残っている。子どもながらに、「母を笑顔にしたい」と必死だった。

そんな母が信頼を置いていたのは、自宅近くの駐在所の警察官だった。「大きくなったら、あのお巡りさんみたいに立派になってほしい」。母が常々口にしたその言葉は、幼いＡさんの心に残り続けた。「母の夢をかなえたい」。大学進学後も、得意な柔道をいかせる上に人のためになる仕事ができると考え、警察官を志した。

警察官の採用試験に合格し、警察学校に入校。卒業後、地域警察官として交番勤務になった。母が信頼していた警察官と同じように、市民にとって最も身近な「お巡りさん」として職務に励んだ。

だが配属当初から教え込まれたのは、刃物や違法薬物の所持、オーバーステイなどの摘発を念頭に、「外国人に対しては積極的に職務質問をして在留カードの提示を求めろ」という、差別的な職務質問の方針だった。外国人への職務質問を推奨する「取り締まり強化月間」も設けられ、外国人を見かけたらすぐに在留カードを確認するよう、幹部から指示されたという。

工場が多い地域の警察署に配属された時は、「外国人がバールを持って襲撃してくる」という事態を想定した訓練も受けた。ベテラン警察官の中には、外国ルーツの人たちを「ガイジン」「あいつら」「やつら」と呼ぶ人も多かった。

「外国人」と「犯罪」を結びつけるような警察組織の教育と取り締まり方針、差別的な呼称……。そうした職場環境は、外国人に対する偏見をAさんの内面にも植え付けていった。

警察官時代のAさん（本人提供）

「警察官になるまで、外国出身者に対して特に悪いイメージを持っていませんでした。でも当時は上司の言葉を鵜呑みにしてしまって、外国の人は犯罪に関わることや暴力をふるうことが多いのだと思うようになりました」

「外見で判断して『外国人っぽい人』に声をかけていました。特定の国の人が襲撃してきた場合を想定した訓練の影響もあり、特に肌が褐色系の色の人は凶器を持っているかもしれないと警戒していました」

検挙の「ノルマ」もあった。特に地域警察官や交通警察官は、職務質問や交通取り締まりでの検挙実績が人事評価の対象となるため、他の同僚と同じようにAさんもノルマを気にしていたと打ち明ける。

「(摘発の)点数がノルマに足りていなくても、職務質問をした回数が多いとアリバイになるので『仕方ないな』で済まされやすくなります。十数年前は今ほど外国人が多くなかったので、職務質問や(家庭や会社を訪問する)巡回連絡でオーバーステイなどの外国人に絡む『ニッチな』検挙ができた警察官は、高く評価されていました」

5章で取り上げたハフポスト日本版の全国調査では、全ての都道府県警察が「人種差別の防止に関する研修（または授業）を行っている」と回答した。また、その多くは「以前から研修を継続している」と答えたが、Aさんは数年前に警察官を辞めるまでの約20年間で「人権に関する教育は『ほぼ皆無』でした」と証言する。

「障害者や外国人など、マイノリティの人権に関わる内容は全て『多様性に関する教養』として一括りにされ、オンライン上の掲示板で共有される程度です。警察学校には昇任時を含めて10回以上入校しましたが、そこでも人権研修を受けた記憶はありません。入校時はほぼ必ず『職務倫理』の授業が組み込まれていましたが、飲酒やギャンブル、異性関係のトラブルといった警察官自身の不祥事事案を防ぐ目的の内容がほとんどでした」

外国人に関してだけではない。上司たちの人権意識の欠如に戸惑う場面が何度もあったとAさんは振り返る。２０２０年に障害のある子どもが来署した際、副署長は親に聞こえるほどの声量で「あいつは何だ。しっかり警戒しておけ」とAさんに言いつけたという。他にも、性的マイノリティを侮蔑する暴言や、外国籍の女性と結婚することを報告した警察官を昇進させないという趣旨の発言を職場で耳にすることもあり、「人権意識の低さに落胆した」と明かす。

◆警察官自身も守られない労働環境

では、なぜ人権意識が育まれないのか。Aさんは「自分が所属した組織では」と前置きした上で、不十分な研修制度のほか、「劣悪な労働環境」を理由に挙げた。

「勤務中、休憩時間はないようなものでした。『隣の部屋の風鈴がうるさい』という通報でも、110番が入れば現場に駆けつけなければいけません。クレームが怖いし、その後事件になったら初動の責任を問われるからです。休みの日でも、携帯を肌身離さず持つように言われていました。いつ呼び出しがあるか分からないので気が休まらず、上司からも『お前たちに〝人権〟はないから。休みはないと思っておけよ』とよく言われていました。警察官自身が人として大切にされず、守られない労働環境にあります」

デジタル化が進まず業務負担も減らない中、人権意識のアップデートは「個人の自助努力」に委ねられているが、時間を割いて学ぶ余裕は現場にないとAさんは言う。

「今振り返ると、『こんなに身を粉にして働いてるんだから、外国人やミックスルーツの人に不適切な対応をして失敗しても、ある程度なら目をつぶってほしい。こっちだって忙しいし、犯罪を検挙してあげてるだろ』という意識が正直ありました。個人の責任というより、組織の問題だと考えています」

マイノリティの人権を軽視する職場へのストレスも重なって体調を崩し、Ａさんは退職を決めた。警察官を辞めた後、Ａさんが人種差別的な職務質問の問題を考えるようになったのは、ある友人との出会いがきっかけだった。その友人は日本で生まれ育ったブラックルーツの当事者で、肌の色や人種的ルーツを理由に警察官から何度も犯罪関与の疑いをかけられ、辛い思いをしてきた経験をＳＮＳでシェアしていた。そこで初めて、「レイシャル・プロファイリング」という言葉を知ったという。

「肌の色やルーツのように、生まれ持ったものを理由に犯罪者の疑いがあるという扱いを警察官から受けるのはとても苦しいものだなと想像しました。警察の仕事は人の命にも関わります。警察にとってレイシャル・プロファイリングは最重要課題であるべきですが、人権教育を軽視しすぎている状況に危機感を抱いています」

インタビューに応じたのは、警察を批判するためではなく、警察組織の人権意識を高める取り組みをしてほしい、そのための一石を投じたいからだと語るＡさん。レイシャル・プロファイリングを防止するために、日本の警察はどうするべきなのか。Ａさんは「警察官の人としての尊厳が守られるよう、職場環境が改善されることが必要」とした上で、「今は、声を上げてくれるミックスルーツの当事者たちがいます。『聞く体制が整っていない』と言い訳をするのではなく、まずは当事者の話から学ぶべきではないでしょうか」と投げかけている。

Aさんの証言からは、警察内部には、レイシャル・プロファイリングを生み出し、維持させる構造的な問題が浮かび上がる。警察内部に「外国人」と「犯罪」を結びつける土壌があり、人種差別を肯定・助長する教育が行われていること、マイノリティの人権を軽視する風土、そして警察官自身が人として扱われない労働環境――。レイシャル・プロファイリングを、警察官個人の人権感覚の問題に矮小化するべきではない。問題の本質は個人ではなく警察組織全体にあると捉えて対処しない限り、警察による人種差別を防ぐことはできない。

◆元警察官僚が苦言「取り扱った事案の延長線上で単純に考えることは問題」

差別的な職務質問の問題に、元警察官僚も苦言を呈している。警察庁の元官僚で中央大教授の四方光《しかたこう》氏（刑事政策学、社会安全政策論）は、1章で取り上げた職務質問の動画の内容に触れ、「警察官は苦し紛れにドレッドヘアが職務質問の理由だと言ったのでしょうが、髪型や肌の色を基準に質問を行っているのであれば極めて不適切」と断言する。「警察官が人種差別しようと意図して言ったとは考えにくい」とみる半面、「発言からは人種差別だと言われても仕方ない」と指摘した。

当時警察官は男性に対し、ドレッドヘアで違法薬物を持つ人が自身の「経験上多かった」と話していた。四方氏は、「これまで自らが取り扱った事案の延長線上で単純に考えてしまうことに問題がある」と主張する。

「特定の地域で外国人に関連する事件が目立つことや、国籍ごとに犯罪の傾向が異なることはあり、その情報は警察組織の内部でも共有されます。ただ、そうした傾向を同じ国の出身者や、海外にルーツのある全ての人に適用してしまうのはまさしく偏見であり、差別になります。国籍や人種を根拠に『過剰な職質をして良い』理由にはなりません」

これまでの取材やハフポスト日本版のアンケートでは、職務質問で「在留カードの提示を求められた」という声は特に多かった。在留カードを確認するのは、主に出入国管理法違反の摘発を念頭に置いているとみられる。実際、非正規滞在者は増えているのか？

法務省の『犯罪白書』（2021年）によると、不法残留者数◉[1]は1993年に過去最多の29万8646人を記録した。その後減少傾向が続き、2021年には8万2868人で、ピーク時の3割以下となっている。

中央大の四方光教授。人種差別的な職務質問の背景に、教育の不徹底があると話す

「不法滞在は1990年代ごろには大きな問題でしたが、現在はかなり改善されています。職務質問は、必要性とそれによって社会にもたらされる不利益のバランスを考えて行うべきです。単に外国人に見えるからといって、犯罪の疑いをかけるのは不適切です」（四方氏）

差別的な職務質問が起きる背景について、四方氏は警察組織内の「教育の不徹底」が要因の一つとみる。

「職務質問のやり方は警察学校で学びますが、あらゆる場面を全て想定して訓練しているわけではありません。外国人の人権に関する教育も行われてはいますが、どのような発言をしたら人種差別だと相手が感じるか理解できず、差別に当たりかねない言葉をかける警察官が一定数いるのが現状です。繰り返し人権教育をしていく以外にありません」

◉1　「不法残留者」という表現は差別や偏見を助長する呼称であり、本来は「非正規滞在者」などとするべきだが、ここでは法務省の統計の表記に合わせた。

7章 「レイシャル・プロファイリングは違法」と訴え裁判に

2024年1月29日昼過ぎ。東京・千代田区の東京地裁前で、国内外の報道関係者たちが外国にルーツのある3人を囲み、カメラを向けていた。肌の色や国籍、「外国人ふうの見た目」などを理由とした人種差別的で違法な職務質問を受けたとして、20～50代の外国出身の3人がこの日、国、東京都、愛知県の三者を相手取り損害賠償などを求めて東京地裁に提訴した。

人種差別的な職務質問の違法性を問う訴訟は、国内で初めてとなる。原告3人はいずれも外国にルーツがあり、現在は日本で暮らしている。原告たちはなぜ声を上げたのか。日本の司法や警察に求めていることとは――。提訴を前に、私は原告の一人で愛知県在住のゼインさんに話を聞いた。

◆「在留カードを持っていないなら逮捕する」

自営業のゼインさんは、1997年にパキスタンで生まれ、8歳で来日し、2011年に家族と共に日本国籍を取得した。「外国人ふう」の外見を理由に職務質問を繰り返し受けたと訴え、回数は15回ほどに上る。一日のうちに同じ場所で二度、職務質問をされたこともあるという。

ゼインさんによると、日本国籍を持つ日本人であるにも関わらず、職務質問のたびに在留カードの提示を求められるという。2019年には、アルバイトの予定時刻に遅れていたため、名古屋駅内を早足で歩いていたところ、警察官から呼び止められ、壁際に押し付けられるようにして半ば強制的に止められたという。

在留カードの提示を求められ、ゼインさんが「在留カードは持っていません。持っていないとどうなりますか？」と尋ねると、「持っていないなら君をここで逮捕しなければならない」と警察官に迫られたと証言する。

同じ年に受けた別の職務質問では、大学から自宅への帰り道で自転車に乗っていた時にパトカーとすれ違い、「お兄さんちょっと」と呼び止められ在留カードを見せるよう言われた。在留カードはないと伝えると、今度はパスポートを見せるよう求められたため、運転免許証と健康保険証を出して自身のルーツや日本国籍を取得したことを説明したという。それでも、警察官から「日本国籍を取ると在留カードなくなるの？　持ち歩かなくてもいいの？」となじるように問われ、困惑したと振り返る。

「第一印象は『外国人』に見えても、私のように日本で育ち、日本人として生きる人はたくさんいます。『外国人ふう』の見た目で犯罪の疑いをかけられ、高圧的な態度で職務質問を受けるたびに悲しい思いをしているのは私だけではありません。外国にルーツがあっても日本人として生きる人たちがいることを認識し、職務質問のあり方を見直してほしい。外国ルーツの人や色んなルーツをもって生まれる子どもたちにとって、生きやすい社会になってほしい。そのためには自分が覚悟を決めて、顔を隠さず前に出るしかないと思いました」

ゼインさんがインタビューで強調していたのは、ゼインさん自身、「職務質問は犯罪防止や摘発のために大事な活動であり、その必要性は十分理解している」ということだ。

「僕が求めたいのは、『職務質問の廃止』ではありません。効率が良く、市民も協力したくなるような職務質問の実現です。外国人に対する偏見に基づいた不必要な職務質問を減らすことができれば、警察官も市民も、お互いが時間を無駄にせずに済みます。また、始めから警察官が高圧的な態度で接することがなくなれば、職務質問を受ける人も強い不安を抱かなくなるはずです」

◆「国は是正・監督する義務がある」と弁護団

ゼインさんのほか、原告となったのは南太平洋諸島の国で生まれたマシューさん、アフリカ系アメリカ人のシェルトンさん。彼らが裁判で求めているのは主に次の3つだ。

ひとつは、原告たちが受けてきた肌の色や国籍などを理由とした差別的な職務質問に対する、一人当たり330万円（うち弁護士費用30万円）の損害賠償の支払い。ふたつ目は、レイシャル・プロファイリングによる差別的な職務質問の運用は、憲法13条（幸福追求権）と14条（法の下の平等）に加え、人種差別撤廃条約と自由権規約に違反すると認めること。みっつ目に、全国の都道府県警察が差

東京地裁へ提訴する原告と弁護団ら＝2024年1月29日

別的な職務質問をしないよう、国は指揮監督する義務があると確認することだ。

原告代理人の谷口太規《もとき》弁護士は提訴後の記者会見で、「多くの外国ルーツの人が日本で生活し、職場で働き、家族と暮らしている。（差別的な職務質問の）影響を受ければ、日本国籍のあるなしにかかわらずコミュニティ社会全体が傷ついていく。この社会にいる全ての人にとって重要な訴訟だ」と訴えた。

ゼインさんと同様、マシューさんとシェルトンさんも繰り返し受けた職務質問や警察官からの言動に苦しめられてきたという。

マシューさんは、２００２年に日本国籍の配偶者との結婚を機に日本に移住後、永住権を取得した。これまでに１００回ほど職務質問を受け、１日に二度職務質問を受けたことが４回あると主張する。

２０２１年に運転中に受けた職務質問で、車に同乗していた妻が理由を問うと、警察官はマシューさんが交通違反もなく不審者でもないと答えた上で、「外国人の方が運転するのは珍しいから」だと説明したという。

マシューさんは記者会見で、「お巡りさんの権力は強いから、（相手を）止まらせたかったらいつでも、どんな理由でも止められる。『あなた外国人だから在留カード見せてください』と（言われる）」と訴えた。職務質問を何度も受けることから、外出をためらい引きこもりがちになったという。

日本で約10年生活するシェルトンさんは、永住者の在留資格を持つ。これまでに日本で16、17回ほど職務質問されたという。2021年4月には、自宅からバイクで出かけたところ、交通違反がないにもかかわらず警察官に停止を命じられて職務質問を受けた。「まっすぐ進んでいただけなのになぜ止めたのか」と警察官に尋ねたが、納得のいく答えを得られなかったと主張した。

◆外国ルーツの子ども、いじめやハラスメントに苦しむ人々に向けた思い

東京都内の司法記者クラブで行われた記者会見には全国紙やテレビ、インターネットメディアなど多数の報道機関が詰めかけた。

記者会見で印象的だったのは、提訴を決心した理由を語る際、3人の原告全員がこの社会で生きる他の人たちに向けた思いを口にしたことだ。

ゼインさんは、自分のように外国にルーツがあり、日本で生きる子どもたちに言及した。「外国人イコール、もしくは外国人っぽい見た目の人イコール犯罪しちゃうんじゃないの？というイメージが、日本にはあるのかなと思っています。僕が小学生の時は、『外国人ふう』の子どもは僕だけだった。今はその数は圧倒的に増えてきています。僕と同じような経験をする子が今後多くなってきたら、さすがに認識を変えるときなのではないのかなと思っています」

シェルトンさんは、「肌の色やジェンダーなどでいじめ、ハラスメント、残酷な扱いを受ける人たちのために、この法的な手続きに参加しました。この社会で間違ったことを見た時に共に声を上げ

る、一人ではないと示すために私はここにいます」と、前を見つめて語った。マシューさんは、「パワハラを受けている人や声を上げられない人もいる。みんなのために闘いたい」と訴えていた。

3人それぞれが、自分以外に苦しみを抱えている他者へ思いを馳せ、国を相手取った裁判の原告となる意思を固めたのだ。

◆被告の国、東京都、愛知県は請求の却下や棄却求める

提訴から2カ月半後の4月15日午後。レイシャル・プロファイリング訴訟の第一回口頭弁論が開かれたこの日、東京地裁には多くの傍聴希望者が集まった。抽選対象となる一般傍聴席85席に対し、144枚の整理券が配られた。100席近くある大法廷が埋まった光景に、関心の高まりを感じた。

被告側は答弁書を提出し、いずれも請求の却下や棄却を求めて争う姿勢を示した。

国は、全国の都道府県警察に対してレイシャル・プロファイリングを行わないよう指揮監督する義務があることの確認を求める原告の訴えに対し、「訴訟要件を満たさない不適法なもの」だと主張し、却下を求めた。さらに、「人種、肌の色、国籍または民族的出自のみに基づいて職務質問を行う」という、レイシャル・プロファイリングの組織的な運用が存在するという原告の主張に対しては、否認した。

東京都と愛知県も請求の却下と棄却を求めたが、具体的な認否や反論については次回の期日

以降に準備書面を提出するとしている。

この日、法廷では原告代理人による訴状陳述と、2人の原告の意見陳述があった。

原告代理人の谷口太規弁護士は訴状陳述で、証拠提出した愛知県警察の内部文書『執務資料若手警察官のための現場対応必携』（2009年4月）で次のような記載があると言及した。

「一見して外国人と判明し、日本語を話さない者は、旅券不携帯、不法在留・不法残留、薬物所持・使用、けん銃・刀剣・ナイフ携帯等　必ず何らかの不法行為があるとの固い信念を持ち、徹底的した追及、所持品検査を行う」（原文ママ）

さらに、兵庫県警察の昇任試験に対応したテキスト『KOSUZO HYOGO』（2022年1月号）にも、「外国人は、護身用の刃物や違法薬物等の禁制品を所持していることが多いため、細部まで徹底した所持品検査等を実施する」と書かれ

記者会見を開く原告（前列右からマシューさん、シェルトンさん、ゼインさん）と弁護団＝東京地裁内の司法記者室

ているとして、警察が差別的な職務質問を組織的に教示し、推奨していると指摘した。

職務質問が公の場で行われることから、谷口弁護士は「海外ルーツの人ばかりが頻繁に職務質問の対象となっていたら、『そうした属性を持つ人は、何らかの犯罪と繋がりがある』というメッセージを与えることになります。その社会的地位の切り下げ、スティグマの押し付けの効果を持つのです」と述べ、レイシャル・プロファイリングが特定の集団に与える影響を強調した。

その上で、3人の裁判官に対し、「社会の多様化・国際化が進む今、このようなレイシャル・プロファイリングの運用が違憲・違法であることを示し、正し、人権侵害を止めるのは裁判所の責務です」と訴えかけ、陳述を締め括った。

シェルトンさんは意見陳述の冒頭、「私は、肌の色だけが理由で、国家の暴力によって殺される可能性がある国から来ました」として、出身国であるアメリカ社会のレイシャル・プロファイリングの問題を取り上げた。続けて、「東京で歩いていて警察官から呼び止められた時に、すぐにその不安が蘇りました」「アメリカと同じ偏見や先入観が日本にもあることを理解した時の私の不安は圧倒的なものでした」と自身の体験を振り返った。

そして、裁判官たちを見つめ、こう問いかけた。

「私は人種や民族のせいで、どこに住んでいても、不当な扱いを甘んじて受けなければならないのでしょうか？　なぜでしょうか？」

シェルトンさんは、「もし裁判所が法を守ることを主張するならば、『外国人』であること以外に何の理由もなく、私や他の人々を呼び止めるという警察の慣行について、簡単に裁定を下すことができるはずです」と訴えた。

原告のゼインさんは意見陳述で、「海外にルーツを持つ人に対する偏見が、社会と警察内に蔓延しているのではないか」と問題提起し、職務質問の透明性を高めるよう求めた。最後に、法廷に集まった人々やこの社会の全ての人に向けて、裁判にかける思いを次のように伝えていた。

「皆さん、この裁判は闘いや喧嘩、日本を悪くするものではないです。お互いを理解し合い、認識し合い、協力し合うためのものです。そして、日本をより良くするためのものです。この裁判が日本のための、そしてお互いの理解を深め合うための、一歩を切り出すカギになることを願っています」

8章

警察による「大量監視」を容認した日本の司法

人種差別的な職務質問の違法性を問う裁判の提訴は、国内外の多くのメディアで報じられた。

▽「レイシャル・プロファイリング」初の提訴　外国出身者「人種差別」（朝日新聞デジタル）

▽「人種や肌の色を理由に職務質問」レイシャル・プロファイリングめぐり男性３人が国などに損賠《ママ》賠償求め提訴　東京地裁（ＴＢＳ ＮＥＷＳ ＤＩＧ）

日本のメディアで、タイトルや本文に「レイシャル・プロファイリング」と掲載した記事がこれほど多く、一斉に報じられたのは初めてだ。提訴を報道した海外メディアのうち、私が確認した限りでは全ての記事の見出しで「racial profiling」と表記している。

レイシャル・プロファイリングの違法性を正面から問う異例の裁判として注目を集めたが、出身国や宗教など特定の属性を持つ人たちを「犯罪者の疑いがある」と公権力が見なすことは新しい問題ではなく、裁判例もある。2010年の「ムスリム捜査情報流出事件」は、日本の警察のレイシャル・プロファイリングを明るみにし、被害に遭ったイスラム教徒（ムスリム）らによる訴訟にも発展した。

一連の裁判は、警察によるレイシャル・プロファイリングの違法性を問うた先駆的な事例となったが、出身国や宗教を理由とした個人情報の収集・データベース化の違法性は日本の司法で認められなかった。当時の司法が、警察によるレイシャル・プロファイリングが違憲・違法だと適切に認定していれば、今も続くレイシャル・プロファイリングの有りようは異なっていたのではないか――。そう疑問を抱き、当時の原告弁護団のメンバーに話を聞いた。

◆ムスリム捜査情報流出事件とは

まず、「ムスリム捜査情報流出事件」の概要を振り返る。2010年10月、警視庁や警察庁が「国際テロ捜査」を名目に集めた日本国内のイスラム教徒や、当時のイスラム諸国会議機構（OI

C）加盟国の出身者らの個人情報を含む、大量の捜査情報がインターネット上に流出した事件だ。「警視庁国際テロ捜査情報流出事件」とも呼ばれる。流出したファイル数は114件に上り、個人情報には本人や家族の氏名、住所、勤務先のほか、モスクへの出入り情報も記載されていた。

事件発覚から約2カ月後、警視庁は漏えい情報について「警察職員が取り扱った蓋然《がいぜん》性の高いものが含まれていた」と発表。「不安や迷惑を感じる方々がいる事態に至ったことは極めて遺憾」だと謝罪した◉1。

個人情報が流出した後、勤務先を退職せざるを得なくなったり、経営する店の売り上げが大

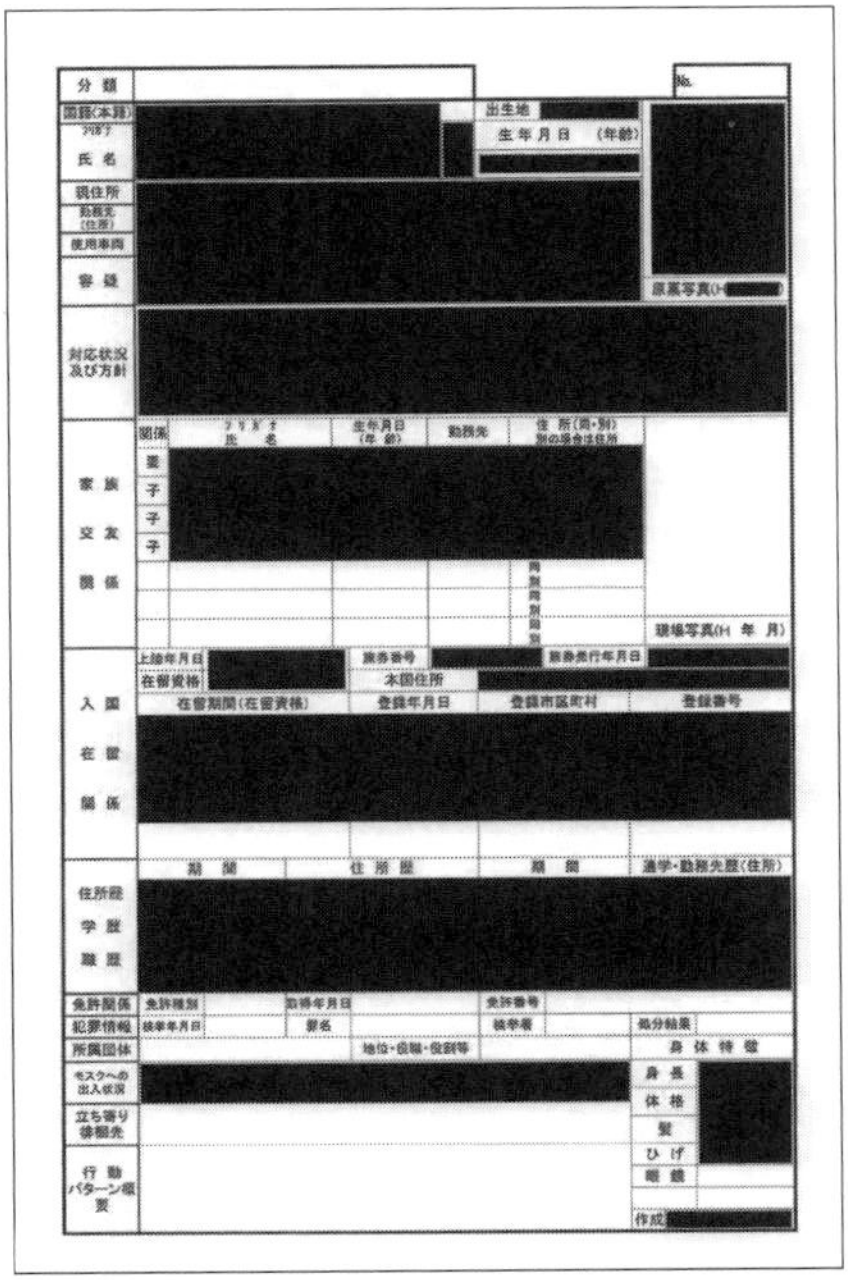
分類
No.
国籍（本籍） [redacted]
出生地 [redacted]
生年月日（年齢）
フリガナ
氏名
現住所
勤務先（住所）
使用車両
容疑
原票写真（H [redacted]
対応状況及び方針
家族 交友 関係
関係 | フリガナ 氏名 | 生年月日（年齢） | 勤務先 | 住所（同・別）別の場合は住所
妻
子
子
子
現場写真（H 年 月）
入国 在留 関係
上陸年月日 [redacted]
旅券番号 [redacted]
旅券発行年月日 [redacted]
在留資格
本国住所 [redacted]
在留期間（在留資格） | 登録年月日 | 登録市区町村 | 登録番号
住所歴 学歴 職歴
期間 | 住所歴 | 期間 | 通学・勤務先歴（住所）
免許関係 免許種別 取得年月日 免許番号
犯罪情報 検挙年月日 罪名 検挙署 処分結果
所属団体 地位・役職・役割等
身体特徴
モスクへの出入状況 [redacted]
身長
体格
髪
ひげ
眼鏡
立ち寄り徘徊先
行動パターン概要
作成 [redacted]

インターネット上に流出した警視庁の捜査資料（個人情報の保護のため画像の一部を加工）＝弁護団提供

幅に低下したりするなどの経済的な損害を受けた人もいた。信教の自由など憲法上の権利を侵害し、個人情報を収集・保管した上、インターネット上での漏えいで精神的苦痛を受けたなどとして、ムスリムとその配偶者計17人が2011年、国と東京都を相手取り国家賠償請求訴訟を起こした。

裁判では主に、

①捜査資料を漏えいしたことの違法性

②宗教や出身国を根拠に個人情報を収集し、データを保管・利用することの違法性

の2点が争われた。

一審・東京地裁判決（2014年）は②について、「モスク把握活動を含む本件情報収集活動によってモスクに通う者の実態を把握することは、（中略）国際テロの発生を未然に防止するために必要な活動であるというべき」だとして、違憲・違法ではないと判断した。

さらに、「信教に注目した取扱いの区別に合理的な理由があるか否かについては、慎重に検討することが必要」とした上で、当該事件に関してはテロ防止という合理的な根拠があるといい、「情報収集活動それ自体が、国家が差別的メッセージを発するものであるということはできない」として、原告の主張を退けた。

一方、①の情報流出については、注意義務を怠った過失があるとして東京都の責任を認定。「第

三者が見れば、原告らがテロリストもしくはその支援者であるか、少なくとも警察からその疑いをかけられているとの印象を抱くことは避け難い」「流出事件が原告らに対して与えたプライバシーの侵害及び名誉棄損の程度は甚大なものであったといわざるを得ない」と判断し、都に対して原告一人当たり550万円（一名は220万円）の支払いを命じた。

二審・東京高裁判決（2015年）は一審判決をほぼ踏襲。最高裁は2016年、上告を棄却した。

◉1 「国際テロ情報の流出、警視庁『内部資料』と認める 捜査協力者に『極めて遺憾』と謝罪」日本経済新聞、2021年12月24日配信
https://www.nikkei.com/article/DGXNASDG2401F_U0A221C1CC0000/

◆「何の検証もされないまま」弁護団メンバー

流出事件を巡る一連の訴訟で、日本の裁判所は「あくまで任意の情報収集活動であり、それ自体が原告らに対して信教を理由とする不利益な取扱いを強いたり、宗教的に何らかの強制・禁止・制限を加えたりするものではない」と指摘。「テロ防止」などの理由があれば、宗教や出身国を理由に警察が個人情報を大量に集め、データベース化することは違憲・違法ではないとの判断を下した。

これに対し、弁護団メンバーだった福田健治弁護士は「今問いたいのは、ムスリムというだけで

監視され、情報収集する警察活動は本当に必要なことだったのか？　ということ」だと話す。

「この事件で浮かび上がったのは、銀行やホテルなど民間業者から情報を集め、モスクに出入りする人を監視し、尾行までして『面割り』（対象者が誰であるかを特定すること）するという警察の手法です。

基本的には逮捕も捜索もない行政警察活動であり、強制を伴わない。強制に及ばなければ何の制約も受けずに、警察が自らの判断で大量に情報を収集しても良いのだと、裁判所が認めたのです。

現実に行われたのは、テロリストと何の関係もない個人を『テロリスト関係者』であるようにレッテルを貼り、プライバシーに制約を加える活動でした。そうした情報収集活動は、果たしてテロ防止に本当に役立ったのでしょうか。何の検証もされないまま今に至っていることが大きな問題です」

二審判決は、一審の判断をほぼ追認した。一方で、「本件情報収集活動が、実際にテロ防止目的にどの程度有効であるかは、それを継続する限り検討されなければならず、同様な情報収集活動であれば、以後も常に許容されると解されてはならない」とも付け加えた。

だが実際には、ムスリムに対して行われた情報収集活動の有効性に関して警察組織で検討が進んでいるとは言えないと、福田弁護士は指摘する。

「『国際テロ対策』のような正当化される理由の説明がつけば、宗教や出身国を理由とした個人情報の大量収集は許容されると、司法がお墨付きを与える結果になりました。広い裁量が警察にあることを前提に、ゆるやかな審査基準で（情報収集の）合憲性を認める判断は妥当だったのか。裁判所にこそ振り返ってほしいです」

ムスリムをターゲットにした警察による「プロファイリング」（犯罪捜査において、データなどを基に犯人の特徴や犯罪の性質を分析し、犯罪行為に関わった可能性の高い人物を特定する手法）が明るみになって15年近くになるが、林純子弁護士は「今でもモスクによっては、金曜の礼拝日に警察官が近くに来て見張っている、というムスリムの訴えを聞きます。『モスクに行く時は警察に監視されていても仕方がない』と諦めている人も多いです」と話す。

◆ムスリムの監視、「深刻な差別」と国連の委員会が指摘

ムスリムに対するプロファイリングを巡っては、その手法が当事者らにもたらす弊害やテロ防止効果の低さが国際人権機関からも指摘されている。

国連の特別報告者が２００７年に国連人権理事会へ提出した、テロ対策における人権の保護な

どに関する報告書では、「特定の人種、国籍、民族的出身や宗教の人が特に罪を犯しやすいというステレオタイプ的な仮定に基づくプロファイリングは、差別禁止の原則と相容れない行為につながる可能性がある」と言及。２００１年のアメリカ同時多発テロ以降、出身国や宗教などの特徴を含む「テロリスト・プロファイル」に基づくテロ対策が様々な国で行われていることは「重大な懸念だ」と述べている。

さらに報告書では、「民族や出身国、宗教に基づくプロファイリングは、潜在的なテロリストを特定する手段として不適切で効果がないだけでなく、テロとの闘いにおいてこれらの手段を逆効果にしかねない重大な悪影響をもたらす」との見解を示した。

また、日本の警察によるムスリム監視に関しては、国連の自由権規約委員会が２０１４年の総括所見で懸念を表明。日本の法執行機関に対して、広範なムスリムの監視を含むレイシャル・プロファイリングが認められないことなどの教育を行うよう求めた。

このほか、国連の人種差別撤廃委員会も日本政府に対する同年の総括所見で、特定の民族や宗教的集団に属することのみを理由とした個人に関する治安情報の組織的な収集が「深刻な差別の一形態」だと明記した。法執行官がムスリムに対するプロファイリングを行わないことを確実にするよう、日本政府に求めた。

これらの勧告はいずれも、遅くとも２０１５年の二審判決より前に出されていたが、日本の裁判所の判断は、「ムスリムへのテロリスト・プロファイリングは有効性を欠く上に差別だ」とする国際人権機関の見解に反するものとなった。

ムスリム捜査情報流出事件のように、特定の集団や属性の人々に照準を合わせたプロファイリングは過去の話ではなく、今後も十分起こりうると福田弁護士は考える。

「特定の集団にターゲットを絞り、情報収集のために民間業者を巻き込みネットワークを作る、集めた情報をデータベース化していつでも参照可能にする。裁判では『流出したことはまずかったけれど、やり方自体は問題ない』とされてしまったので、応用可能なわけです。その対象が911事件後の当時はイスラムコミュニティであり、そうしたターゲット設定がある意味で国内外で『流行り』でした。

『外国人＝罪を犯す疑いがある』という偏見が警察内部にある中、『国際テロ対策』のように警察が予算と人員をかけられる名目や仮説さえあれば、ムスリムに行われたことと同様のプロファイリングがまた繰り返されても不思議ではありません」

◆アメリカでは違法性認める決定

ムスリムに対する監視捜査を巡っては、アメリカでも訴訟となっていた。アメリカ連邦控訴裁判所第3巡回区は2015年、被告のニューヨーク市警察が行ったレイシャル・プロファイリングの違法性を認める決定を出した。

裁判所は、最高裁の過去の判例を引用する形で、「差別そのもの、つまり『古くてステレオタイプ的な観念』を永続させたり、冷遇された集団のメンバーに対し『本質的に劣っている』との烙印《らくいん》を押し、共同体の参加者としてふさわしくないという汚名を着せたりする行為が、不利な集団に属するという理由だけで平等に扱われない人々に深刻な精神的損害をもたらしかねない」と判断した。

裁判所の決定を受け、原告団と被告は２０１８年に和解。「ニューヨーク市警は人種や宗教、民族を実質的・動機的とする捜査を行わないこと」などの条項が合意された。ニューヨーク市警を相手取った類似の民事訴訟でも、２０１７年に同様の和解が成立している。

ニューヨーク市警は２０２４年１月に市議会で可決された法改正に基づき、警察官が職務質問で呼び止めた人の「人種」、性別、年齢を記録することが義務付けられた。同警は約３万６０００人の警察官が所属し、同国最大の警察組織だ。

◆司法判断の過ちを正す仕組みを

公権力による人種差別の防止や被害者救済のために、どんな仕組みが必要なのか。福田弁護士は「まず、日本に個人通報制度◉2がないことが大きな問題だ」と強調する。

「国際人権規約である『自由権規約』の違反が疑われる個別の事案を訴える機関が日本にはなく、司法で被害を認定されなければ、他に救済される手段がありません。日本の裁判所が行った誤った条約解釈が、正される機会がない。そのため、司法判断の過ちは放置されたままなのです」

日本はこれまでに、自由権規約や人種差別撤廃条約など8つの人権条約に批准・加入しているが、個人通報制度を定める条約ごとの選択議定書の批准などをしていないため、同制度が適用されていない。一方、世界では約150カ国がなんらかの個人通報制度を導入している。

林弁護士は「誰もがマイノリティになる可能性を持ちながら生きています。ある日突然、行動によってではなく、属性を理由に公権力の監視の対象になるかもしれない。それを日本の裁判所が『違法ではない』としていることの恐ろしさを考えてほしいです」と話す。

◉2　個人通報制度　国際人権条約で保障された権利を侵害された人が、条約機関に被害を直接訴えることができる制度。条約機関が審査を経て出した見解に法的拘束力はないものの、見解を踏まえて国内の法制度が改正されるケースもある。各条約機関は日本政府に対し、同制度を導入するよう繰り返し勧告している。

9章 レイシャル・プロファイリングを終わらせるために

ここまで見てきた通り、レイシャル・プロファイリングは公権力による人種差別であり、身体的・精神的な安全を脅かす。警察官だけでなく、検察官、出入国管理や入国審査に関わる職員ら法執行官による人種差別をなくし、被害に遭った人が救済されるために、どのような仕組みが必要なのか。

◆データ化と情報開示で検証可能に

警察は毎年、職務質問が検挙の端緒となった事件数は公開しているものの、「職務質問を年間でどれほど行っているか」を公表していない。どういった属性の人が職務質問を受けやすいのかがブラックボックスになっている。さらに、警察官がなぜ職務質問をしたのか、何をもって「不審事由」があると判断したのか、という記録もオープンにされていない。そのため、合理的な根拠に基づいた職務質問だったか否かの検証ができない。レイシャル・プロファイリングを防ぐ手立てを講じる前提として、まずは統計が必要だ。

国連人種差別撤廃委員会の2020年の一般的勧告でも、国が身元確認や車両検問、国境での捜索などの実務に関する詳細な量的・質的データを収集し、監視することを促している。

海外でも、人種的な偏りが統計の結果明らかになったケースが複数ある。ニューヨーク市警察が2010〜11年に行った「ストップ・アンド・フリスク」(職務質問や所持品検査に当たる)の活動では、約130万人の通行人が職務質問を受け、その半数で警察官は「不審な動き」が理由だと報告用紙に記入していた。当時黒人は市内人口の23%だったが、不審な動きで呼び止められた人のうち黒人は54%を占めたという。さらに、ジェニファー・エバーハートらの調査では、黒人は白人に比べて身体検査や武力行使を受ける可能性が高いことも判明している。ニューヨーク市ではその後、職務質問をする際の正当な理由に「不審な動き」は含まれなくなった◉1。

警察官によるアフリカ系を狙った暴力や殺害事件が後を絶たないアメリカでは、ロサンゼルスやオークランドなど各地の警察署で取り締まりのデータが収集され、人種別で取り締まりの傾向に格差が生じていることが、研究者たちの調査で判明している。イギリスやカナダでも同様の調査研究が行われている◉2。

２０１７年にイギリス政府が発表した「人種格差監査」(Race Disparity Audit)の結果によると、２０１６～17年に警察から職務質問を受けた割合が、黒人では１０００人あたり29人だったのに対し、白人では１０００人あたり４人だったことが明らかになった◉3。

職務質問を受けた人の「人種」・民族的ルーツに加え、職務質問の理由も記録し統計を取ること。それらのデータを、職務質問をされた本人のプライバシーを守った上で社会に向けて公開することが重要だ。

◉1 『無意識のバイアス　人はなぜ人種差別をするのか』(ジェニファー・エバーハート、Ｐ75)　アフリカ系やラティーノなど、人種的マイノリティに対してニューヨーク市警察が行った「ストップ・アンド・フリスク」の違憲性を問う裁判(フロイド訴訟)で、アメリカ連邦地裁は２０１３年、同市警の政策は人種的マイノリティの権利を侵害するものであり、憲法違反だとする判決を下した。フロイド訴訟と判決後のニューヨーク市警察のポリシング改革については、『レイシャル・プロファイリング　警察による人種差別を問う』第７章に詳しい

◉2 『無意識のバイアス　人はなぜ人種差別をするのか』(Ｐ１２０～１２３)

◉3 『14歳から考えたい　レイシズム』(アリ・ラッタンシ、Ｐ24)

◆被害救済の両輪――「国内人権機関」と「個人通報制度」

日本には、人種差別を禁止する法律がない。人種差別や民族差別に関する国内法として「ヘイ

トスピーチ解消法」が２０１６年に施行されたが、罰則や禁止規定のない理念法にとどまる。

国連人種差別撤廃委員会の２０２０年の一般的勧告は、「レイシャル・プロファイリングとの効果的な闘いには、人種差別を禁止する包括的立法が欠かせない」と明言し、「国は、法執行官によるレイシャル・プロファイリングを定義しかつ禁止する法律及び政策を策定し、かつ効果的に実施するべきである」と提言している。

個人が公権力から人権侵害を受けた時に救済される仕組みの両輪として、「国内人権機関」と8章でも触れた「個人通報制度」がある。

「国内人権機関」とは、政府から独立し、独自の調査権限を持つ人権救済機関のこと。人権侵害の被害者が国内人権機関に申し立てると、同機関は事実関係を調査した上で、勧告などの措置を取ることができる。２０２３年12月時点で、世界の１２０の国が「国内人権機関の地位に関する原則」（パリ原則）に完全または部分的に準拠する国内人権機関を設置しているが、日本にはない◉4。

もう一つの「個人通報制度」は、国際人権条約で保障された権利を侵害された人が、条約機関に被害を直接訴え、審査を求めることができるシステムだ。この制度があることで、国内の裁判でも国際人権条約や他国の通報事案を意識した司法判断がなされることが期待できる。

個人通報制度を導入している国で、警察によるレイシャル・プロファイリングが国際人権条約に違反していると認定されたケースもある。「有色人種であること」を理由にスペインの警察官から呼び止められ、身分証を確認された女性が、国内の裁判では被害を認定されなかったため、自由権規約委員会に個人通報した（ウィリアムズ・ルクラフト対スペイン事件）。委員会は2009年、犯罪防止などの目的で行われる身元確認は、「特定の身体的・民族的特徴を持つ者のみを対象とするような方法で実施されるべきではない」と指摘。そうした手法は、「関係者の尊厳に悪影響を与えるだけでなく、公共全体に外国人嫌悪の態度を広めることにもつながる」とした。その上で、スペイン警察の行為は客観的・合理的な基準を満たさず自由権規約に違反しているとして、「当事国は通報者への謝罪を含む救済を提供し、再発防止のための措置を取る義務がある」との見解を示した◉5。

このように、国内の裁判所で人権侵害の被害を認定されなくとも、個人通報制度を通じて人権条約機関に直接訴えることで、救済の道が開かれる場合がある。

◉4　国内人権機関世界連合（GANHRI）公式サイトより　https://ganhri.org/membership/

◉5　https://digitallibrary.un.org/record/662897/

◆ボディカメラが「解決策」にならない理由

レイシャル・プロファイリングの被害を訴える人たちへのインタビューでは、警察官がボディカメラ（ウェアラブルカメラ）を着用することを求める意見を聞くことがあった。ボディカメラがあれば、警察官と市民のやり取りを記録する証拠になり、差別的な言動を後から検証できる上、不当な職務質問自体を抑止する効果があるのでは、との期待があるためだ。

アメリカなど海外ではボディカメラを取り入れる動きが広がっており、日本でも2024年度から試験導入が始まる。だが、専門家からは「現在の制度のまま日本で導入することは危険で、市民にとってのメリットはかなり限定的」との見方が出ている。

警察官のウェアラブルカメラは、市民にとってどんなリスクがあるのか。本格導入の前に、どのような規制や仕組みを設けておくべきか。モデル事業の開始に先立ち、刑事法学を専門とする大阪公立大学の三島聡教授と、プライバシー権を巡る問題に詳しい武藤糾明《ただあき》弁護士に話を聞いた。

そもそも、なぜウェアラブルカメラの導入を進めようとしているのか。警察庁は取材に、「限られた人的・財政的資源の下で警察機能を最大限に発揮するには、各種技術・機材を導入し、警察活動の高度化・合理化を図ることが必要なため」と回答した。つまり「警察官が活動しやすくする」ことが最大の目的だ。さらに、期待する具体的な効果として、①公務執行妨害事案の抑止②適正な職務執行の担保③警察本部などからのリモート指示——の3つを挙げている。2024年度に試験的に導入し、効果を検証した上で本格運用を検討するという。

ウェアラブルカメラを装着するのは主に、市民にとって身近な場所で活動する警察官たちだ。警察庁によると、いわゆる「お巡りさん」である地域警察官のほか、交通取り締まりや雑踏警備に当たる警察官、情報通信部の職員が使用することを想定しているという。モデル事業で導入するカメラは合計76式（内訳：地域39式、交通18式、警備・情報通信19式）で、予算は計1000万円。映像の保存期間や管理方法といった運用ルールについては「検討中」と述べるにとどめ、モデル事業の実施までに策定する予定だと説明した。映像データの市民への開示・不開示に関しては「情報公開制度や個人情報保護制度に基づいて対応することが原則」といい、開示請求先はデータを保有する各行政機関だとしている。

三島聡氏（大阪公立大学）インタビュー

――警察官がボディカメラをつけて活動することで、どのようなメリットがあると考えられますか

ボディカメラをすでに導入している国では、次のようなメリットがあると言われてきました。

① 職務質問や逮捕など、市民に対する警察活動の具体的な状況について、視覚的な証拠が得られる
② 映像が残ることから、警察官と市民双方の行き過ぎた言動の抑止が期待される
③ ①と②から、警察活動の違法性を問う損害賠償請求訴訟の提起や不服申し立てが減る
④ 映像が犯罪の捜査・起訴に役立つ
⑤ 映像を警察官の研修に活用できる

これら5点のうち、市民、特に職務質問や逮捕の対象になった人にメリットとなり得るのは①と②です。例えば、職務質問の際に暴力をふるったとして公務執行妨害の疑いで逮捕・起訴された事例で、被告人が「関わり合いになるのが嫌なので避けて立ち去ろうとしたら、（ボディカメラを装着した）警察官が私の肩を強く掴んで引っ張ったので、軽く手で振り払おうとしただけだ」として公務執行妨害罪の成立を争った場合には、ボディカメラの録画媒体が検察側から公判廷に証拠として提出される、あるいは少なくとも公判審理前に弁護側に開示されることになります。

また、別の起訴事例で、弁護人が「警察の証拠収集の過程に違法があり、その資料は証拠として使えない」と主張する場合には、収集を担当した警察官のボディカメラの録画媒体が弁護人側に開示されることになるでしょう。

このように被告人・弁護側がボディカメラの映像を利用できるようになれば、警察活動の行き過ぎにある程度歯止めがかかるのではないかと思います。

とはいえ日本では、このような市民にとってのメリットは、かなり限定的なものにとどまるでしょう。

――なぜ限定的なのでしょうか

①～③における市民にとってのメリットは、市民にボディカメラの映像データが開示される

ことが前提です。対象となった市民が起訴されて、録画中の事実について争えば、刑事訴訟法の証拠開示制度を通じて、その映像データへのアクセスが可能になります。

しかし日本では、それ以外の場合には、映像データへのアクセスは市民にとって容易ではありません。

この点、警察庁は、モデル事業を開始するに当たって、ボディカメラ映像のデータ開示の可否は「情報公開制度や個人情報保護制度に基づいて対応する」としています。個人情報保護法は「開示することにより、犯罪の予防、鎮圧又は捜査、公訴の維持、刑の執行その他の公共の安全と秩序の維持に支障を及ぼすおそれがあると当該行政機関の長又は地方公共団体の機関が認めることにつき相当な理由がある」と判断した場合、その情報を開示しなくて良いと定めています◉6。各地の情報公開条例も、これとほぼ同様の規定を置いていると思います。

つまり、現在の個人情報保護や情報公開の制度のもとでは、映像にうつっている本人が開示を求めても、警察側の裁量によって開示しなくて良い仕組みになっています。職務質問や交通取り締まりなどの際に警察官の対応がいかにひどくても、刑事裁判以外の場面ではその場にいた警察官のボディカメラの映像データ全体が本人に開示されない可能性が濃厚と言えます。警察活動の違法性を問う国家賠償請求訴訟の場であっても、警察側に有利にならない録画媒体であれば、提出されないことも十分考えられます。

市民の側に情報が開示される仕組みがないままにボディカメラが導入されれば、警察活動の透明化にはつながらず、むしろ警察権限が肥大化するだけです。ここに大きな問題があります。

――海外では、ボディカメラ映像は当事者に開示されますか

アメリカでは、第三者への開示は地域によって可否が分かれていますが、撮影された本人への開示は広く認められているように思います。2014年に米ミズーリ州で、当時18歳だった黒人のマイケル・ブラウンさんが白人警官に射殺された事件（ファガーソン事件）を機に、警察官のボディカメラ装着が全米で広がりました。

さらに、2020年に盛り上がったブラック・ライブズ・マター（黒人の命を軽視するな）運動がその動きに拍車をかけました。警察活動の透明化は、ボディカメラ導入の最大の目的でした。そうした経緯があったからこそ、市民から導入が支持されたのです。

日本でもアメリカと同様に外国人などマイノリティに対するプロファイリングの問題が起きていますが、市民の側が警察活動に関する必要な情報を得られるような仕組みになっていません。開示制度を見直すことなく、単に警察活動をしやすくするためのボディカメラ導入は、デメリットが大きいので避けるべきだと思います。

本格導入している国々がすでにあり、議論の蓄積もあるのですから、モデル事業を始める前に、それらの国の実践も踏まえて、何のためにこの事業を開始するのか、開始に伴うデメ

リットにはどのように対処するのかなどを明らかにし、具体的な実施要領をしっかり作って公開するのが筋でしょう。

加えて、モデル事業の運用結果もきちんと公開するべきです。モデル事業から本格制度化へとなし崩し的に進むことが大いに懸念されます。

――他の国では、警察官にとって不都合なボディカメラ映像が削除される事案が報じられています◉7。

個々の警察官が勝手に利用や改変できないような仕組みを構築することが不可欠です。それのみならず、単に路上を歩いている人や集会に参加した人の画像を警察が自由に利用できて良いのかも問題になります。個々人の行動のデータを大量に集積して解析すれば、その人の普段の行動パターンや思想も把握できてしまいます。

この点で特に問題になるのは、個人の特定が可能になる顔認証でしょう。技術的にはすでに十分可能であり、ボディカメラ導入に当たっては議論する必要があります。アメリカでは、顔認証を認めない地域もあります。

警察の画像データの無制限な利用に歯止めをかけるためには、警察から独立した機関がデータを管理し、警察が利用の目的や範囲を明確にして請求して初めてその目的・範囲内でデータを提供する、といった仕組みが必要ではないかと思います。

▼三島聡氏　大阪公立大教授。専門は刑事法学。研究テーマは警察活動の透明性など。単著・共著に『刑事法への招待』（現代人文社）、『刑事司法改革とは何か』（同）など。

◉6　https://elaws.e-gov.go.jp/document?lawid=415AC0000000057

◉7　「Police officers widely misusing body-worn cameras」BBC、２０２３年9月28日配信
https://www.bbc.com/news/uk-66809642

武藤糾明氏（弁護士）インタビュー

――警察のウェアラブルカメラ導入の動きを、どのように見ていますか

そもそも主権者の意思と関わりなく、国会を通さずに行政が自らの裁量で権限を勝手に拡大することは、「法の支配」という民主主義の根幹となる考えからすると基本的には認められません。行政権が最も乱用されやすく、人権を侵害しやすいためです。

特に警察は捜査のため、逮捕や捜索もできて市民生活を制限できる強い権力を持っています。過剰な人権侵害を防ぐため、強制処分は、主権者の代表者である国会が、法律であらかじめ承認した範囲でしかできません。

ウェアラブルカメラのように市民のプライバシー権に深く関わる事業を進めるのであれば、まずはその必要性を国会への法案提出という行為でもって私たち主権者に示さなければなりま

せん。

――警察庁は「警察活動の高度化・合理化を図る」ことが導入の狙いだと説明しています

警察庁の回答の背景にあるのは、「警察の利益のために市民の権利を制限します」という発想であり、これは極めて問題です。

――どういった場合であれば、ウェアラブルカメラでの撮影が認められるのでしょうか

ウェアラブルカメラを導入するのであれば、その前提として、警察は肖像権の侵害を正当化し得る公益があることを、市民に対して説明しなければいけません。

「公務執行妨害の抑止」や「交通取り締まり」を目的とするのであれば、肖像権侵害が必要不可欠であることを裏付けるエビデンスはないと考えられるため、そもそもこれらを目的としたウェアラブルカメラの導入は許されないでしょう。

一方で、人種差別的な職務質問の防止という目的での使用に限定するのであれば、実際にどれほどそうした差別行為が発生しているのかという統計や、プライバシー侵害の必要性を説明した立法事実をまず示すべきです。

その上で、録画中であることを赤いランプで明示するなど、職務質問のとき以外は録画されていないことを周囲が確認できるような濫用《らんよう》しにくい条件をつけるのであれば、ウェアラブルカメラの使用は限定的な場面において認められると考えます。

「プライバシー権は一切制約してはいけない」ということではなく、プライバシー権や肖像権

は他の権利とのバランスの中で守られるものです。

例えば、アメリカのように黒人に対する警察官による殺害や暴力行為が多数起きている社会ならば、人身上の重大な利益と比べたらプライバシー権をある程度制限してでも、ボディカメラ撮影を認める正当な理由があると言えます。

日本で警察官がボディカメラ装着によって、人々のプライバシー権を侵害せざるを得ない事情とは何なのか。警察が国会の場で説明することもなく、予算だけを組んで勝手に進めるべきではありません。

――ウェアラブルカメラの運用ルールについて、警察庁は「検討中」であり、モデル事業の開始までに策定すると説明しています

肖像権を裁判所が初めて認めた京都府学連事件の最高裁判決◉8は「警察官が、正当な理由もないのに、個人の容ぼう等を撮影することは、憲法13条の趣旨に反し、許されない」と判断しました。

また本判決は、本人の同意なく、裁判官の令状がない場合でも警察官による撮影が許容される条件として、現行犯的な状況であり、証拠保全の必要性および緊急性がある場合に限られるとしています。同意なしに無差別に常時録画をすることは判例上、憲法違反です。

警察は、どのような場面や条件でウェアラブルカメラを使用するかを導入前に明示し、さらにそのルールが適切かは国会で審議されるべきです。その上で、規則に反した撮影をしてい

ないかを第三者がチェックする仕組みが必要です。

——具体的にどのような仕組みを作るべきでしょうか

違法性をチェックする法的な枠組みが欠かせません。

GPS捜査の違法性が争われた裁判で初めて、警察庁が全国の警察に出していたGPS捜査に関する通達◉9の存在が明らかになりました。2016年には、大分県警察による隠しカメラ問題◉10が発覚しています。

ウェアラブルカメラに限らず、GPSや隠しカメラなど警察による秘匿撮影が違法に行われていないかを、第三者が事後的にチェックする制度が日本にはありません。秘匿撮影の規制や外部による監視・事後検証を法秩序に組み込まないと、コントロールが効かなくなり警察のプライバシー侵害行為はどんどん拡大してしまいます。法律の縛りによって、行政権の濫用を監視することが不可欠です。

▼武藤糾明氏　福岡県弁護士会所属。日本弁護士連合会（日弁連）の「監視カメラに対する法的規制に関する意見書」（2012年）、「顔認証システムに対する法的規制に関する意見書」（2016年）、「行政及び民間等で利用される顔認証システムに対する法的規制に関する意見書」（2021年）を担当。監修に『日本のデジタル社会と法規制　プライバシーと民主主義を守るために』（日弁連編著、花伝社）。

◉8

京都府学連事件とは

1962年、当時大学生だった被告人が、京都府学生自治会連合主催のデモ行進に参加した際、デモ集団の行進状況を写真撮影していた京都府警の警察官に抗議し、旗竿の根本で下顎部を一突きしてけがを負わせた事件。被告人は傷害と公務執行妨害の罪で起訴された。一審判決は、本件写真撮影は任意捜査の範囲を超えており、適法な公務執行には当たらないとする被告人側の主張を退け、被告人を懲役1カ月（執行猶予1年）に処すとした。二審も控訴を棄却した。最高裁は、憲法13条について「国民の私生活上の自由が、警察権等の国家権力の行使に対しても保護されるべきことを規定しているものということができる」とした上で、個人の私生活上の自由の一つとして「何人も、その承諾なしに、みだりにその容ぼう・姿態を撮影されない自由を有するものというべきである」「少なくとも、警察官が、正当な理由もないのに、個人の容ぼう等を撮影することは、憲法13条の趣旨に反し、許されないものといわなければならない」と判断した。

一方で最高裁は、そうした自由も公共の福祉のために必要のある場合には相当の制限を受けると指摘。本人の同意なく、また裁判官の令状がない場合でも警察官による撮影が許容される条件として、①現に犯罪が行われ、もしくは行われたのち間がないと認められる場合で、②証拠保全の必要性および緊急性があり、③その撮影が一般的に許容される限度を超えない相当な方法で行われる時だとしている。本件については、これらの条件がいずれも満たされており、憲法違反は認められないとして上告を棄却した。

◉9

警察庁が2006年6月30日付で、全国の都道府県警察に出した『移動追跡装置運用要領の制定について』と題する通達。捜査の対象となる車両にGPS端末を取り付け、位置情報を取得する捜査を「任意捜査」とすることや、保秘の徹底として①取り調べ時に容疑者にGPSを用いて捜査したことを明らかにしない②捜査書類の作成時に、GPS捜査を推知させる記載をしない③事件の広報時に、GPS捜査を実施したことを報道機関に明らかにしない——などの規定が盛り込まれていた。最高裁は2017年、被告人の承諾のないまま被告人らの車両にGPSを装着し、位置情報を収集していた捜査手法について「個人の意思を制圧して憲法の保障する重要な法的利益を侵害するもの」とした上で、刑事訴訟法上、特別の規定がなければ許されない強制処分に当たると判断した。警察庁の通達の詳しい内容は非開示とされていたが、同年の刑事裁判で、弁護側の請求に基づき東京地裁が検察側に開示を命じたことで上記のような保秘規定の詳細が明らかになった。

◉10 大分県別府署の警察官が2016年の参院選の期間中、当時の民進党現職らの支援団体が入居する建物の敷地内に隠しカメラを無許可で設置し、人の出入りを録画していた問題

◆「マジョリティの特権」に無自覚なメディア

犯罪者だと疑われることなく街を歩き、警察官を見かけても恐怖を感じずに生活できる——。それは、日本社会で「外国人」と見なされず、「日本人」として生きられるマジョリティの特権の一つだ。ここで言う「特権（privilege）」とは、「支配的文化を共有する社会的アイデンティティのために与えられる利益や優遇措置、権力」のこと。こうした特権を持っているとの自覚がないマジョリティは、社会的に抑圧される人たちが不条理に抗議の声を上げたとき、当事者の体験を「考えすぎだ」と軽く捉え、「差別は存在しない」と否定、あるいは無視しがちだ。マジョリティ

のこの傾向は、警察権力による人種差別を軽視してきた日本のメディアの体質にも通ずる。レイシャル・プロファイリングが、日本社会で長い間「ないもの」とされてきた要因の一つに、それが人権の問題だという認識を持たず、報じてこなかったメディアの責任がある。私自身、新聞記者の頃に警察取材を担当したことがあったが、肌の色や「外国人ふう」の見た目を理由に警察官から日々差別的な職務質問を受ける人たちがいる現実に目を向けず、鈍感だった。

日本のレイシャル・プロファイリングに注目が集まった2022年以降も、全国紙の報道の中には、「人種や国籍は（職務質問対象者の判別に）関係ない」という警察官の言い分を無批判に掲載して「両論併記」の構成にしたり、「職質が犯罪摘発につながる事例も」という見出しをつけ、人種差別的な職務質問の問題ではなく、「職務質問全般の是非」に論点をすり替える内容の記事もあった[11]。「圧倒的に非対称な力関係において行われる公権力の人種差別」という、レイシャル・プロファイリング問題の本質が、報道する側にも見えていないのだ。

◉11 「職務質問、『外国人』は受けやすい？　東京弁護士会が実態調査」朝日新聞デジタル、2022年3月2日配信 https://digital.asahi.com/articles/ASQ3253DHQ2PUTIL00B.html

◆「外国人が職務質問をムダにされる」話を「笑い」として描くバラエティ番組

2023年になってなお、外国ルーツの人たちが頻繁に職務質問を受けるという体験を、「笑える話」として放送したテレビ番組さえある。同年11月に放送された日本テレビ系の人気バラエティ番組『月曜から夜ふかし』で、2歳から東京都内で暮らすインド人の男性が職務質問を繰り返し受けていると話した時、「笑い」が起きる場面があった。男性は番組で、「職務質問をムダにされる」「地元の交番の警察官が3カ月くらいで替わる。そのたびに職務質問を受ける」という自身の経験を共有した。画面には「警察官が替わるたび 職質の壁」という文字と、MCのタレントたちが笑う様子が映し出されるとともに、笑い声がどっと上がった。

◆「露骨な差別の一例」

外国にルーツがある人たちが直面する人権問題に詳しい有園洋一弁護士は、「具体的な状況が分からないため、出演した男性の体験がレイシャル・プロファイリングに当たるとの断定はできないものの、交番の警察官が替わるたびに職務質問を受けるという発言からすると、外国ルーツであることや見た目を理由に警察官が声をかけている可能性は高く、レイシャル・プロファイリングの疑いが非常に強い事例と言えます」と指摘する。

その上で、仮に本人が自虐的に笑いにしたとしても、放送するメディア側が同じく「笑い」として視聴者に提供することには問題があると有園弁護士は言う。なぜか。

「外国にルーツがある人の中でも、日本に長く住んでいる人ほどマイクロアグレッション（4ページ参照）や不当な扱いを受けた時に、そのことを自虐的に話す傾向があると、様々な相談を受ける中で感じています。日々積み重なるようにマイクロアグレッションを受け、被害を訴えた時に『気にしすぎだ』『外国人だから仕方ない』といった反応をされ、『苦しい』と感じることそれ自体を否定される経験をしている人は非常に多いと実感しています。真面目に話して否定されるのが怖いから、これ以上傷つかないよう冗談めかして話すことがあるのだと考えます。本人が笑って話しているように見えるからといって、メディアやマジョリティ側の聞き手が『笑い話』として捉えて良い理由には全くなりません」

「同じ社会に暮らしている人たちが、外国人であることや外国ルーツであることを理由に、警察という国家権力から差別的な扱いを受けている。そのような状況を黙認する社会で良いのか？という視点で本来は考えてほしい問題なのです。露骨な差別の一例が、まるで笑える話として番組で描写されている点に違和

日本テレビ系『月曜から夜ふかし』の放送シーン

感を抱きました」

私は日本テレビに対し、「番組に出演したインド人男性の体験が、人種差別的な職務質問（いわゆるレイシャル・プロファイリング）に当たり得るとの認識はあったか」「外国にルーツのある人が頻繁に職務質問を受けるという体験を、バラエティ番組で笑いとして取り上げることについての見解」を尋ねた。

同社広報部は「『月曜から夜ふかし』は、番組独自の切り口で世間で起きている様々な事象や物事を取り上げています。今回の放送に関しても、ご指摘の職務質問を肯定しているものではございません」とメールでコメントした。この返答からは、「レイシャル・プロファイリングを肯定する意図はないから問題ない」という言い分が透ける。だが3章でも触れた通り、差別をする意図の有無は差別であるか否かには関係なく、不利益の「効果」があればそれは差別に当たるのだ。

「露骨な差別の一例」を、大手テレビ局が「笑い」として視聴者に届けることは、何を意味するのか。有園弁護士は「恐ろしいのは、作り手が意図していなくても、影響力のあるメディアが『笑える話』として放送することが、公権力による人種差別を助長するメッセージになってしまうという点です」とみる。

「『レイシャル・プロファイリングが社会的に決して承認されるべきではないもの』という前提が制作する側にあれば、出演した男性の発言をきっかけにうまく問題提起して、もっと深い番組内容になり得たのではないかと残念です」

描き方一つで、国家権力から不公正な扱いを受けている人を抑圧する構造に加担しかねないことを、影響力を持つ大手メディアこそ自覚するべきだ。

◆エンタメや風刺は「有効なツール」になり得る

レイシャル・プロファイリングをエンタメで扱うこと自体が問題、ということでは全くない。

例えば、入管行政の問題に挑むある家族を描いた中島京子さんの小説『やさしい猫』では、スリランカ人の登場人物がレイシャル・プロファイリングを受ける場面が描かれ、同作を原作とした2023年放送のNHKのドラマでもそのシーンが放送された。小説・ドラマともに、「外国人に見える」という外見的特徴を理由とした職務質問のリアルな実態を描いている。

日本在住のアフリカ系アメリカ人の作家で、日本社会での人種差別問題に詳しいバイエ・マクニールさんは、エンタメの中でも風刺やパロディでレイシャル・プロファイリングをうまく描くことができれば、それは公権力による人権侵害に対抗する「強力な武器」にもなり得ると言う。

「アメリカでは、多くのコメディアンが人種差別やジェンダー、LGBTQ当事者が直面する問題を取り上げています。特に風刺は、抑圧されているマイノリティ側が言いたいことを伝えるのに非常に有効なツールになります」

差別を再生産するのではなく、マイノリティに向けられた抑圧の構造を打ち壊すエンターテインメントとしての表現が、この社会には必要だ。

レイシャル・プロファイリングが日本社会で繰り返されてきたのは、マジョリティがそれを黙認し、許容してきたからでもある。一方で、人種差別的な職務質問の問題が注目を集める前から、そうした光景に疑問を抱き、目撃した際に見過ごさず行動してきた人もいる。その一人であるBさん＝取材時（45）＝に、なぜ介入するのか、その背景にある思いを聞いた。

◆「私は外国人だから……」

2020年5月のある日の夕方に、JR新宿駅の東口付近を通りかかったときのことだ。

Bさんは、外国にルーツがある男性が、警察官2人に職務質問されているのを見かけた。警察官は、男性が財布を開いたところで横から手を伸ばし、カードを一枚ずつ取り出してチェックしていた。

Bさんが近寄り、職務質問の理由を尋ねると、警察官は「あなたには関係ないでしょう」と返した。Bさんは、警察が権力を逸脱した行為をしている可能性があるなら、それはどんな市民にとっても無関係ではないと反論し、なぜカードを調べているのかを聞いた。

警察官は「カード詐欺が流行っているから」だと答えたが、なぜその男性が詐欺を疑われているかの説明はなかったという。Bさんが抗議を続けると、警察官たちはその場を離れて行った。

職務質問を受けていたのはベトナム人男性だった。ほっとした表情を見せ、Bさんにお礼を告げた。

「職務質問に応じることは義務ではないので、断ることができます」とBさんが伝えると、男性はそうなんですかと驚き、「私は外国人だから…」と声を落としたという。

◆見て見ぬふりをしない理由

「レイシャル・プロファイリング」という言葉が日本で広まり始める前から、Bさんは外国ルーツの人への差別的な職務質問を目の当たりにすることが多かったと話す。

過去に介入したのは前述のケースだけではない。渋谷、池袋、下北沢などで、外国人とみられる人が不審な挙動をしていないにも関わらず職務質問を受けている場面を見かけ、これまでに4、5回ほど声をかけたことがあるという。いずれも中東やアジア出身の人だった。

現在は埼玉県内で暮らすBさん自身も、東京都内に居住し、目立つ色合いの私服で電車通勤していた数年前までは、職務質問を受けることがあった。職務質問が強制ではなく任意であることや、警察官職務執行法の規定（3章参照）を学び、服装や「外国人ふう」の見た目などのみに基づく、合理的な理由のない職務質問に疑問を抱くようになったと振り返る。

2020年当時、Bさんは外国人向けのシェアハウスを運営する会社に勤めていた。外国籍の同僚が多かったこともあり、外国ルーツとみられる人が駅構内やその周辺で警察官に呼び止められている現場を見かけるたびに気にかけていた。

「犯罪が疑われる相当な理由がある場合は別ですが、国籍や人種だけで職務質問の対象者を選別しているのであれば、それは差別です。人種差別は戦争にもつながってしまうという危機感が、私の考えの根底にあります」

人種差別的な職務質問が疑われる場面で、「見て見ぬふり」をしない。Bさんがそう決めているのは、海外滞在中の体験も影響しているという。アジアやヨーロッパを旅していたとき、現地の人たちから親切にされた思い出も、差別された経験もある。

大学時代にスペインのアルハンブラ宮殿を観光した際、見知らぬ学生たちから指をさされて笑われ、不本意に写真を撮られたことがあった。一方、旅行で訪れたベトナムでは、バイクがガス欠になりかけたときに住民が燃料を分けてくれたり、家に招いて食事でもてなしてくれたりもした。

「異国の地で明らかに不便な状況にいるとき、その国の人から温かく迎え入れられた経験はずっと記憶に残りますよね。外国から日本に来た人が目の前で困っていたら、これからもできる限り手を貸したいです」

社会で抑圧されている人々の痛みへの想像力を持ち、目の前で起きた人権侵害を傍観しない。制度や仕組みを変えていくことと同じように、そうした個人の行動の積み重ねもまた、警察による人種差別をなくす上で重要な作用をもたらす。Bさんはそのことを教えてくれた。

おわりに

「息ができない」——。

2020年5月、アメリカ・ミネソタ州ミネアポリスで、黒人男性が白人の警察官から暴行を受け殺害された事件を記憶している人は多いだろう。男性の名前はジョージ・フロイドさん。警察官は約9分間、フロイドさんの首を膝で押さえつけた。目撃者によって撮影された事件時の動画はSNSで拡散され、黒人への差別に抗議するデモ「Black Lives Matter（黒人の命を軽視するな）」運動は世界的な広がりを見せた。フロイドさん殺害事件の前も後も、アメリカでは警察官による暴力と殺害行為で、アフリカ系アメリカ人の命が奪われる事件が何度も起きている。

アメリカなど他国と比較して「日本に人種差別はない」と言う人もいる。だがそれは事実ではない。暴行や放火など在日コリアンへのヘイトクライムが繰り返され、子どもが被害に遭うケースも報告されている◉1。レイシャル・プロファイリングの問題を報じた記事に対し、日本で生まれ育った外国ルーツの若者に向けて「日本から出て行け」というヘイトスピーチ◉2がネット上に投稿されたこともあった。

関東大震災の朝鮮人虐殺から100年の節目を目前にした2023年8月末。朝鮮人虐殺を巡る政府としての受け止めや反省を問う共同通信の記者の質問に対し、自民党の松野博一官房長官（当時）は会見で「政府として調査した限り、政府内において事実関係を把握することのできる記録が見当たらないところであります」と発言した。政府の中央防災会議の報告書（２００９年）で、震災直後の殺傷事件で中心をなしたのは朝鮮人への迫害であり、流言がそのきっかけになった、と明記しているが、松野氏は「政府の見解を示したものではない」と従来の立場を貫いた。朝鮮人虐殺への軍や警察の関与をうかがわせる文書は複数確認されているにもかかわらず。公権力による差別を放置し、黙認した先に殺人・暴行をはじめとする暴力行為とジェノサイドがあることは、日本や世界の歴史から明らかだ。その芽が今の日本社会にはある。

◉1 「朝鮮学校生徒への暴行など相次ぐ　ヘイトクライム防止を法務省に要請」朝日新聞デジタル、２０２２年10月18日配信 https://digital.asahi.com/articles/ASQBL655GQBLUTIL002.html

◉2 「ヘイトスピーチに関する国連戦略・行動計画」は、ヘイトスピーチを次のように定義している。

「ある個人や集団について、その人が何者であるか、すなわち宗教、民族、国籍、人種、肌の色、血統、ジェンダー、または他のアイデンティティ要素を基に、それらを攻撃する、または軽蔑的もしくは差別的な言葉を使用する、発話、文章、または行動上のあらゆる種類のコミュニケーション」

具体的には、次のような言動が挙げられる。
(1)特定の民族や国籍の人々を、合理的な理由なく、一律に排除・排斥することをあおり立てる
（「〇〇人は出て行け」、「祖国へ帰れ」など）
(2)特定の民族や国籍に属する人々に対して危害を加えようとする
（「〇〇人は殺せ」、「〇〇人は海に投げ込め」など）
(3)特定の国や地域の出身である人を、著しく見下す内容

（特定の国の出身者を、差別的な意味合いで昆虫や動物に例えるなど）

国際連合広報センター「ヘイトスピーチを理解する：ヘイトスピーチとは何か」 https://www.unic.or.jp/news_press/features_backgrounders/48162/

法務省「ヘイトスピーチ、許さない。」 https://www.moj.go.jp/JINKEN/jinken04_00108.html

◆人間性を剥奪する入管と地続き

本書では人種差別的な職務質問の問題を取り上げたが、3章で見たように、レイシャル・プロファイリングの行為主体は警察官に限らない。あらゆる法執行官が対象となり、出入国管理に携わる職員も当てはまる。

2021年3月6日、スリランカ人のウィシュマ・サンダマリさん（当時33歳）が、収容先の名古屋入管で亡くなった。サンダマリさんは交際相手からDVを受けており、警察に助けを求めた際に「不法残留」（オーバーステイ）の容疑で現行犯逮捕された後、名古屋入管に収容された。ストレスによって食べても嘔吐してしまい、食事を摂ることができず体調は日に日に悪化していった。サンダマリさんは点滴を求めたが、入管はそれに対応せず、一時的に収容を解く「仮放免」の申請も認められないまま亡くなった。入管問題の取材を続けるフリーランス記者の神田和則さんは、「被収容者申出書」に残されたサンダマリさんの筆跡が日を追うごとに崩れ、判読不能になっていく様子を、ハフポスト日本版への寄稿で報告している◉4。

サンダマリさんは、本来保護されるべきDV被害者だった。それにも関わらず、警察と入管に「不法滞在者」として扱われ、生きるために必要な医療的措置を提供されることなく、国家が管理する施設の中で命を落とした。サンダマリさんだけではない。「密室」の入管施設で、入管職員による被収容者への暴行や、適切な治療を受けさせないといった対応は何度も起きている。東日本入国管理センター（茨城県牛久市）に収容されていたカメルーン人男性は2014年、床に倒れて「I'm dying（死にそうだ）」とうめきながら亡くなった。入管職員による「制圧」によって、2017年にはトルコ人男性が、2018年にはブラジル人男性がけがを負っている。「犯罪者予備軍」としてみなす警察組織の体質と、非正規滞在者たちの人間性を剥奪する入管のありようには、根底で通じるものがある。

◉4 「『苦痛に満ちた悲鳴そのもの』ウィシュマさんの歪んでいく筆跡が訴える〝密室の不条理〟」ハフポスト日本版、2022年11月22日配信
https://www.huffingtonpost.jp/entry/story_jp_63749b87e4b0e818be476e2d

◆形だけの内部調査で「幕引き」させない

「レイシャル・プロファイリング」という言葉は2022年以降、かつてないほど知られるようになった。きっかけを作った団体「Japan for Black Lives」は、その後の社会の変化

や警察の動きをどう見ているのか。メンバーのエリカさんは「差別的な職務質問を受けてきた人たちの中で、『これはレイシャル・プロファイリングであり、本来は警察がしてはいけないことなんだ』という意識が広まってきたと感じます。職務質問を受けた時、身を守るために状況を撮影して証拠として記録する人も増えています」と話す。

一方、代表の川原直実さんは、警察庁が2021年に通達を出した後もレイシャル・プロファイリングの疑いがある職務質問を絶えず見聞きするとして、形ばかりの警察の対応を冷ややかに見つめる。「現場の警察官に対して具体的にどんな教育や研修をしているかは不透明なまま。それがオープンにされない限り、通達が出たくらいでは信用できません」。

内部調査と通達という警察の動きからは、これまで「ないもの」としてきた差別的な職務質問の問題に対処しようという「表向き」の姿勢がうかがえる。だが通達文書の表現や中身を伴わない「人権研修」、ガイドラインを全国の警察が作成していないことからも分かるように、警察組織はレイシャル・プロファイリングの実態把握と防止に向けた取り組みに依然として消極的であることは明らかだ。

東京駅でドレッドヘアを理由に警察官が職務質問をした件で、警察庁が「不適切・不用意な言動があった」と認めたように、調査で「人種差別防止の研修を行っている」と全国の警察が回答したように、レイシャル・プロファイリングに関して警察の「建前」は不十分ながらも変わり始めている。「警察として、いわゆるレイシャル・プロファイリングがあったと判断しているわけではない」という、保身の見解でもって幕引きさせてはいけない。

◆誰かの犠牲の上に成り立つ「安全な社会」の虚構

「マジョリティの安全のために、一部の人が多少の不利益を被るのはやむを得ない」。レイシャル・プロファイリングの問題を報じると、こういった反応が届くことは珍しくない。だが特定の誰かの犠牲の上に、真の「安全な社会」など成立しない。犯罪とは無関係の人が国家権力に身体的自由を奪われ、同意のない身体検査で尊厳を踏みにじられるという不条理が、現実に起きている。抑圧される人々に対する公権力の権利侵害を見過ごした先に待つのは、国家権力にとって都合が悪いと見なされたあらゆる人の人権が脅かされる社会だ。

あとがき

2011年の冬。中国・上海の大学に留学中だった私は、ひとりで東北地方・ハルビンを訪れていた。第二次世界大戦後も中国に残った中国残留孤児らに話を聞きたく、あてもないまま村々を回っていた。バスで知り合った男性が、「戦争中に中国に来た日本人女性の娘が、近所に住んでいる」と言い、案内してくれた。

娘さんは、日本人の母が旧日本軍の731部隊の看護師として中国に来たこと、敗戦時の混乱の中、母は部隊の軍医から「記憶を失う」薬を打たれ、意識が朦朧《もうろう》として帰国できなかったこと、その後現地の男性と結婚し自分が生まれたことを私に話した。母親は数年前に亡くなるまで、日本語を話したがらなかったという。

私は、女性が生きている間に出会えなかったことを悔やんだ。あまりに遅すぎたのだ。日本に戻って部隊に関する資料を探したが、娘さんが教えてくれた女性の名前を見つけられなかった。

話を聞き、証言を記録しなければ、権力を持つ側によっていかに理不尽な扱いを受け、尊厳を傷つけられても、なかったことにされてしまう。そして力を持つ人たちにとって不都合な事実が闇に葬られれば、同じ不条理がいつか繰り返されてしまう。

レイシャル・プロファイリングは、日本社会にこれまでも存在し、今まさに起きている人権問題だ。「自分のような思いをする人がいなくなるように」。そう願い、取材に証言してくれた人たちの生きた言葉が、どうか次の世代の人たちに届いてほしい。

謝辞

人種差別的な職務質問の取材を始めた２０２１年から現在まで、多くの方々からお力添えをいただきました。

差別された、あるいは差別した経験を他者に話すことの心理的負担は計り知れません。それでも、日本社会に根付くレイシャル・プロファイリングを可視化し、なくしていくためにと、外国ルーツの当事者をはじめたくさんの方が自身の体験や心境、専門家としての見解を取材に語ってくださいました。インタビューに応じてくださった全ての方、アンケートに回答・拡散していただいた方々に、心より感謝致します。皆様の証言やご協力がなければ、この問題を報じることはできませんでした。皆様からいただいたメッセージを受け止め、公権力による人権侵害の問題をこれからも追い続けます。

書籍化をお声がけいただいて以降、社会の不条理に対して共に憤り、最後まで伴走してくださった「ころから」の木瀬貴吉さん。原稿への温かい感想を聞かせてくださり、背中を押していただいた装丁ご担当の安藤順さん。イラスト制作の依頼に快く応じてくださり、本書を手にする方のことを想いながら、とても素敵なカバーを描いてくださった藤見よいこさん。御三方とこの本を一緒に作り上げられたことは、私にとって一生の宝物です。本当にありがとうございました。

レイシャル・プロファイリングの特集記事の公開に当たっては、事前に多くの方からご助言をいただきました。特にアンケート作成や連載執筆の段階で、プロのジャーナリスト集団として的確なアドバイスをくださったＴａｎｓａの方々。何度も原稿をチェックし、正確かつ伝わりやすい表現を提案してくれたハフポスト日本版のメンバー。壁にぶつかったときに支えてくれた家族と友人に、この場を借りてお礼申し上げます。

そして、本書を手に取ってくださった皆様に、深く感謝申し上げます。

参考文献・論文

『浅田和茂先生古稀祝賀論文集　下巻』「録音・録画技術と警察活動の透明化」（三島聡、成文堂、2016年）

『アメリカの人種主義　カテゴリー／アイデンティティの形成と転換』（竹沢泰子、名古屋大学出版会、2023年）

『外国人差別の現場』（安田浩一・安田菜津紀、朝日新書、2022年）

『基本刑事訴訟法Ⅰ　手続理解編』（吉開多一・緑大輔・設楽あづさ・國井恒志、日本評論社、2020年）

『基本刑事訴訟法Ⅱ　論点理解編』（吉開多一・緑大輔・設楽あづさ・國井恒志、日本評論社、2021年）

『警察捜査の正体』（原田宏二、講談社現代新書、2016年）

『憲法判例百選Ⅰ　第7版』（別冊ジュリスト No.245）（編＝長谷部恭男・石川健治・宍戸常寿、有斐閣、2019年）

『国際水準の人権保障システムを日本に　個人通報制度と国内人権機関の実現を目指して』（編＝日本弁護士連合会第62回人権擁護大会シンポジウム第2分科会実行委員会、明石書店、2020年）

『国際人権入門　現場から考える』（申惠丰、岩波新書、2020年）

『黒人と白人の世界史　「人種」はいかにつくられてきたか』（オレリア・ミシェル、訳＝児玉しおり、明石書店、2021年）

『黒人の歴史　30万年の物語』（ネマータ・ブライデン、訳＝沢田博、河出書房新社、2023年）

『心の中のブラインド・スポット　善良な人々に潜む非意識のバイアス』（マーザリン・R・バナージ、アンソニー・G・グリーンワルド、訳者＝北村英哉・小林知博、北大路書房、2015年）

『国家と情報　警視庁公安部「イスラム捜査」流出資料を読む』（編著＝青木理・梓澤和幸・河﨑健一郎、現代書館、2011年）

『「混血」と「日本人」　ハーフ・ダブル・ミックスの社会史』（下地ローレンス吉孝、青土社、2018年）

『14歳から考えたい　レイシズム』（アリ・ラッタンシ、訳＝久保美代子、すばる舎、2021年）

『職務質問』（古野まほろ、新潮新書、2021年）

『人種概念の普遍性を問う　西洋的パラダイムを超えて』（編＝竹沢泰子、人文書院、2005年）

『人種差別をしない・させないための20のレッスン　アンチレイシストになろう！』（ティファニー・ジュエル、訳＝きくちゆみこ、DU BOOKS、2022年）

『人種主義の歴史』（平野千果子、岩波新書、2022年）

『「人種」「民族」をどう教えるか　創られた概念の解体をめざして』（編著＝中山京子・東優也・太田満・森茂岳雄、明石書店、2020年）

『真のダイバーシティをめざして──特権に無自覚なマジョリティのための社会的公正教育』(ダイアン・J・グッドマン、監訳＝出口真紀子、訳＝田辺希久子、上智大学出版、2017年)

『人文』第48号（京都大学人文科学研究所、2001年）

『精読憲法判例［人権編］』（編集代表＝木下昌彦、弘文堂、2018年）

『全訂　警察行政法解説　第三版』（田村正博、東京法令出版、2022年）

『それは私が外国人だから？　日本の入管で起こっていること』（著＝安田菜津紀、絵と文＝金井真紀、ヘウレーカ、2024年）

『日常生活に埋め込まれたマイクロアグレッション 人種、ジェンダー、性的指向：マイノリティに向けられる無意識の差別』（デラルド・ウィン・スー、訳＝マイクロアグレッション研究会、明石書店、2020年）

『日本における外国人・民族的マイノリティ人権白書』（外国人人権法連絡会、2014〜2016年、2020年）

『入管問題とは何か　終わらない〈密室の人権侵害〉』（編著＝鈴木江理子、児玉晃一、明石書店、2022年）

『日本にレイシズムがあることを知っていますか？　人種・民族・出自差別をなくすために私たちができること』（原由利子、合同出版、2022年）

『日本の人種主義　トランスナショナルな視点からの入門書』(河合優子、青弓社、2023年)

『武器としての国際人権　日本の貧困・報道・差別』(藤田早苗、集英社新書、2022年)

『文化人類学事典』（編＝日本文化人類学会、丸善出版、2009年）

『ヘイトをとめるレッスン』（ホン・ソンス、翻訳＝たなともこ、相沙希子、監修＝朴鍾厚、ころから、2021年）

『法とコンピュータ』39号「刑事手続におけるITの利活用と法的規律：警察官のボディカメラ装着問題を手がかりとして」（指宿信、法とコンピュータ学会、2021年）

『法律論叢』第91巻第1号「アカウンタビリティを通じた警察活動規律の可能性──民主的統制の観点からみた警察官装着カメラの限界──」（八百章嘉・守田智保子、明治大学法律研究所、2018年）

『無意識のバイアス　人はなぜ人種差別をするのか』（ジェニファー・エバーハート、訳＝山岡希美、明石書店、2020年）

『やさしい猫』（中島京子、中央公論新社、2021年）

『ヤジと公安警察』（編著＝青木理、竹信航介、ヤジポイの会、寿郎社、2024年）

『ヤジと民主主義』（北海道放送報道部道警ヤジ排除問題取材班、ころから、2022年）

『レイシャル・プロファイリング　警察による人種差別を問う』（編著＝宮下萌、大月書店、2023年）

『GPS捜査とプライバシー保護　位置情報取得捜査に対する規制を考える』（編著＝指宿信、現代人文社、2018年）

付録1

レイシャル・プロファイリング対処法《たいしょほう》

「外国人《がいこくじん》」だから、
または「外国人《がいこくじん》ふう」に見《み》えるから、
という理由《りゆう》で職務質問《しょくむしつもん》したのでは―。
レイシャル・プロファイリングの疑《うたが》いがある
職務質問《しょくむしつもん》を受《う》けたとき、どうしたら良《よ》いのでしょうか。
そうした現場《げんば》に遭遇《そうぐう》した場合《ばあい》、
第三者《だいさんしゃ》はどのように介入《かいにゅう》するべき？

人種差別《じんしゅさべつ》の問題《もんだい》に詳《くわ》しい
宮下萌弁護士《みやしたもえべんごし》に聞《き》きました。

外国《がいこく》にルーツのある人《ひと》や外国籍《がいこくせき》の人《ひと》自身《じしん》が、レイシャル・プロファイリングを受《う》けていると感《かん》じたときはどうしたら良《よ》いのでしょうか？

まずは「なぜ**私《わたし》に**声《こえ》をかけたのですか」などと、警察官《けいさつかん》に職務質問《しょくむしつもん》した理由《りゆう》を説明《せつめい》するよう求《もと》めてください。日本語《にほんご》で伝《つた》えるのが難《むずか》しいときは、「Why did you stop me？」など簡単《かんたん》な英語《えいご》でたずねると良《よ》いと思います。

たとえば、夜《よる》に無灯火《むとうか》の自転車《じてんしゃ》に乗《の》っていたり、交通違反《こうつういはん》があったりするときなどは、警察官《けいさつかん》が職務質問《しょくむしつもん》をする理由《りゆう》があると考《かんが》えられます。ですが、「外国人《がいこくじん》」や「外国人《がいこくじん》ふう」の見《み》た目《め》であること以外《いがい》に職務質問《しょくむしつもん》をされる理由《りゆう》がないと感《かん》じたときには、何《なに》をもって（警察官職務執行法上《けいさつかんしょくむしっこうほうじょう》の）「不審事由《ふしんじゆう》」があると判断《はんだん》したのかを警察官《けいさつかん》に対《たい》して質問《しつもん》してほしいと思《おも》います。

職務質問《しょくむしつもん》は、警察官《けいさつかん》が職務《しょくむ》を執行《しっこう》する上《うえ》で認《みと》められている行為《こうい》ですが、市民《しみん》はその理由《りゆう》を問《と》うことができるのです。

ただし、レイシャル・プロファイリングの被害《ひがい》にあった人《ひと》たちからは、職務質問《しょくむしつもん》した理由《りゆう》を聞《き》いても明確《めいかく》に説明《せつめい》されなかった、という声《こえ》を聞《き》いています。

それでも、「なぜ（他《ほか》の人《ひと》ではなく）私《わたし》を止《と》めたのですか」といった質問《しつもん》を重《かさ》ねる中《なか》で「ドレッドヘアの人は（違法《いほう》）薬物《やくぶつ》を持《も》っていることが経験上多《けいけんじょうおお》かったから」「外国人《がいこくじん》が車《くるま》を運転《うんてん》することは珍《めず》しいから」といった、あきらかに合理性《ごうりせい》を欠《か》く発言《はつげん》が警察官《けいさつかん》から出《で》るケースもありました。

「職務質問《しょくむしつもん》は任意《にんい》だから、応《おう》じる必要《ひつよう》はないと知《し》っています。最近《さいきん》、レイシャル・プロファイリングという言葉《ことば》が話題《わだい》になっていて、自分《じぶん》も『外国人《がいこくじん》に見《み》える』という理由《りゆう》だけで職務質問《しょくむしつもん》をされたのではないかと思《おも》っています。そうではないなら、その理由《りゆう》を説明《せつめい》してください」

たとえばこのように、きちんと説明《せつめい》を求《もと》めれば、（単《たん》に職務質問《しょくむしつもん》に応《おう》じない姿勢《しせい》とは受《う》け取《と》られず）不審事由《ふしんじゆう》が高《たか》まることにはならないでしょう。

このほか、対応《たいおう》した警察官個人《けいさつかんこじん》を特定《とくてい》することも重要《じゅうよう》です。

人権侵害《じんけんしんがい》の程度《ていど》がひどいとして、差別的《さべつてき》な職務質問《しょくむしつもん》の違法性《いほうせい》を問《と》う裁判《さいばん》を起《お》こす場合《ばあい》などには、どの警察官《けいさつかん》だったかを特定《とくてい》することは、とても重要《じゅうよう》です。ただ、名《な》前《まえ》や所属《しょぞく》を聞《き》いても教《おし》えてもらえないことは多《おお》いですし、簡単《かんたん》にはおぼえられません。

一方で、職務質問《しょくむしつもん》をするのは制服《せいふく》を着《き》た地域警察官《ちいきけいさつかん》であることがほとんどなので、制《せい》服《ふく》の胸元《むなもと》の識別章《しきべつしょう》にしるされた識別番号《しきべつばんごう》（アルファベット2文字《もじ》、数字《すうじ》3桁《けた》の個人《こじん》を特定《とくてい》する番《ばん》号《ごう》）をおぼえたりメモをとったりしておくと、その警察官《けいさつかん》を特定《とくてい》することができます。

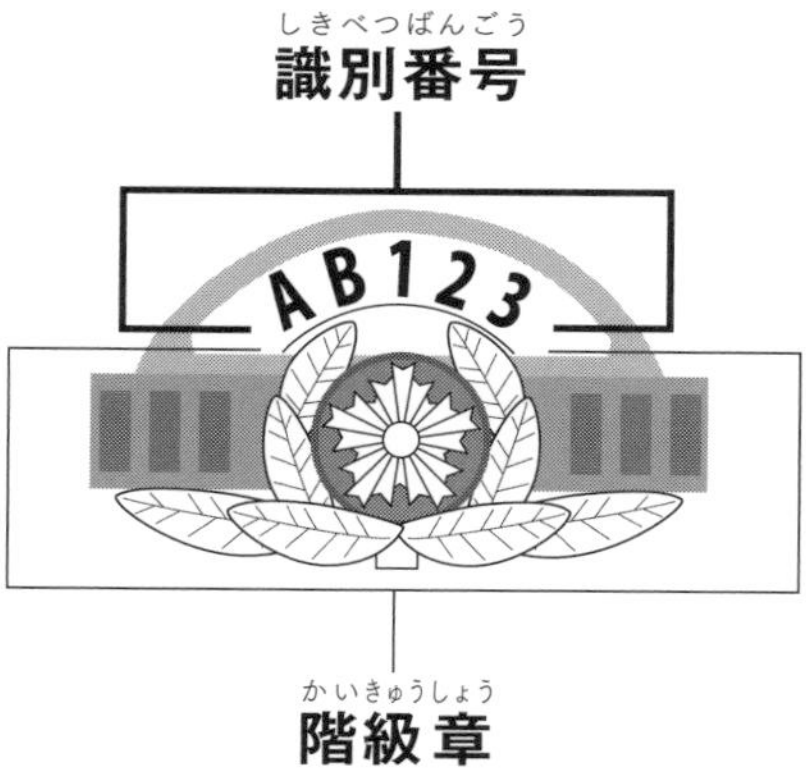

「人種差別的《じんしゅさべつてき》な職務質問《しょくむしつもん》」が疑《うたが》われる現場《げんば》に居合《いあ》わせたとき、第三者《だいさんしゃ》としてできることはありますか？

すぐに介入《かいにゅう》するのではなく、まずは状況《じょうきょう》を確認《かくにん》し、職務質問《しょくむしつもん》されている人《ひと》が困《こま》っているのか、それとも積極的《せっきょくてき》に職務質問《しょくむしつもん》に応《おう》じようとしているのかを判断《はんだん》するのが良《よ》いと思《おも》います。レイシャル・プロファイリングの被害《ひがい》にあった人《ひと》でも、個人《こじん》の考《かんが》えやその後《あと》の予定《よてい》など、状況《じょうきょう》によって本人《ほんにん》が望《のぞ》む対応《たいおう》は異《こと》なるためです。

職務質問《しょくむしつもん》は、警察官職務執行法《けいさつかんしょくむしっこうほう》に基《もと》づく活動《かつどう》であり、任意《にんい》のものとして行《おこな》われなければなりません。そのため、された側《がわ》は拒否《きょひ》することができますが、じっさいには応《おう》じるまで警察官《けいさつかん》から説得《せっとく》を続《つづ》けられることがあります。時間《じかん》に余裕《よゆう》がなく早《はや》く終《お》わらせたいと考《かんが》えている人《ひと》にとって、第三者《だいさんしゃ》が割《わ》って入《はい》ることは迷惑《めいわく》になってしまいかねません。

ただ、本人《ほんにん》が納得《なっとく》して職務質問《しょくむしつもん》に応《おう》じている場合《ばあい》とは異《こと》なり、合理的《ごうりてき》な根拠《こんきょ》のない職務質問《しょくむしつもん》に抗議《こうぎ》している様子《ようす》だったり、困《こま》っていたりするときには、「どうされましたか」「何《なに》か困《こま》っていますか」などと声《こえ》かけすることはとても効果的《こうかてき》です。

介入後《かいにゅうご》は、警察官《けいさつかん》と本人《ほんにん》の間《あいだ》で何《なに》をしたら良《よ》いでしょうか。気《き》をつけるべきことはありますか？

職務質問《しょくむしつもん》を受《う》けている本人《ほんにん》が対処《たいしょ》するときと同《おな》じく、警察官《けいさつかん》に「なぜ**この人《ひと》**に声《こえ》をかけたのですか」と説明《せつめい》を求《もと》めることが大切《たいせつ》です。

また、介入《かいにゅう》する人《ひと》は警察官《けいさつかん》に「職務質問《しょくむしつもん》と（それに付随《ふずい》する）所持品検査《しょじひんけんさ》が任意《にんい》であることを本人《ほんにん》に説明《せつめい》したか？」を確認《かくにん》し、していないのであればあらためて説明《せつめい》するように伝《つた》えてもらいたいです。

さきほど述《の》べたように、当事者《とうじしゃ》の意思《いし》を確認《かくにん》することは必《かなら》ずしてほしいと思《おも》います。その上《うえ》で、介入《かいにゅう》に当《あ》たっては警察官《けいさつかん》との距離《きょり》を取《と》ってください。興奮《こうふん》して手《て》が当《あ》たってしまうなど、予期《よき》せぬ事態《じたい》が発生《はっせい》したときには公務執行妨害《こうむしっこうぼうがい》の容疑《ようぎ》をかけられる可能性《かのうせい》もあります。警察官《けいさつかん》の手《て》が届《とど》かないことを意識《いしき》してほしいです。

声《こえ》をかけて間《あいだ》に入ることだけが、第三者《だいさんしゃ》にできる介入《かいにゅう》の方法《ほうほう》ではありません。ある知人《ちじん》は、レイシャル・プロファイリングの場面《ばめん》を目撃《もくげき》したとき、警察官《けいさつかん》を「ただじっと見《み》つめる」ことを心《こころ》がけていると言《い》っていました。小《ちい》さな行為《こうい》に見《み》えますが、「人《じん》種差別《しゅさべつ》を許《ゆる》さず、警察官《けいさつかん》の言動《げんどう》をちゃんと見《み》ていますよ」という市民《しみん》からの目《め》は、レイシャル・プロファイリングの抑止《よくし》になりえると思《おも》います。

動画撮影《どうがさつえい》はすべきでしょうか？

警察官《けいさつかん》から差別発言《さべつはつげん》が出《で》るなど、レイシャル・プロファイリングと思《おも》われる現場《げんば》に居合《いあ》わせた人が、職務質問《しょくむしつもん》されている人《ひと》に許可《きょか》をとってスマートフォンなどでその様《よう》子《す》を録画《ろくが》することには大《おお》きな意味《いみ》があります。

当事者《とうじしゃ》がその後《あと》、各都道府県《かくとどうふけん》の公安委員会《こうあんいいんかい》の苦情申出制度《くじょうもうしでせいど》を利用《りよう》して訴《うった》えたり、裁判《さいばん》を起《お》こしたりするとき、映像《えいぞう》は重要《じゅうよう》な証拠《しょうこ》になります。警察《けいさつ》に対《たい》して恐怖心《きょうふしん》を抱《いだ》いているときなど、職務質問《しょくむしつもん》を受《う》けている本人《ほんにん》が冷静《れいせい》に録画《ろくが》することが難《むずか》しいこともあるため、第三者《だいさんしゃ》が撮影《さつえい》するのは有効《ゆうこう》です。

職務中《しょくむちゅう》の警察官《けいさつかん》にも肖像権《しょうぞうけん》（同意《どうい》なく撮影《さつえい》されたり、撮影《さつえい》された写真《しゃしん》や動画《どうが》を公表《こうひょう》・利《り》用《よう》されたりしない権利《けんり》）はありますが、公権力《こうけんりょく》の濫用《らんよう》を証拠《しょうこ》として記録《きろく》するというような正当《せいとう》な理由《りゆう》があれば、肖像権《しょうぞうけん》の侵害《しんがい》が問題《もんだい》となる可能性《かのうせい》は低《ひく》いと考《かんが》えられます。

動画撮影《どうがさつえい》のハードルが高《たか》いときは、警察官《けいさつかん》と当事者《とうじしゃ》の発言《はつげん》や行動《こうどう》をメモに残《のこ》す方《ほう》法《ほう》もあります。いつ、どこで起《お》きたのか、警察官《けいさつかん》がなんと発言《はつげん》し、どんな行動《こうどう》をしていたかなどを、できるかぎり具体的《ぐたいてき》に記録《きろく》してください。

付録2

47都道府県警察への調査結果

警察官による人種差別を防ぐために、組織としてどのような教育を行っているのか？　その具体的な内容とは？　人種差別防止の取り組みの現状を把握するため、ハフポスト日本版は2023年8〜11月、全国の47都道府県警察に対してアンケートを行った。ここでは、各警察の回答をまとめて掲載する。

具体的な研修内容を説明できていない警察はどこか、どれほど多くの警察が「横並び」で同じ文言の回答をしているか、といったことがよく分かる一覧となっている。調査結果の集計や分析は、5章を参照していただきたい。

※調査票はメールまたはFAXで送付し、メール・電話・郵送のいずれかで回答を得た。調査は、全ての警察に対して1回目の回答を踏まえて2回目の追加質問を送った。

1回目の調査票

① 管轄する警察学校で、生徒に対して人種差別防止に関する研修を行っていますか。
研修を行っている場合、いない場合、その理由をお教えください。

② 貴警察本部で、所属する警察官に対して人種差別防止に関する研修を行っていますか。いる場合、いない場合、その理由をお教えください。

③ 人種差別に関する研修を行っている場合、
(1) いつから行っているか
(2) 対象は誰か
(3) 頻度
(4) 研修の内容（講師の所属、使用している資料）
ーの4点を具体的に教えてください。

④ 警察官による人種差別を防止するためのガイドライン等を作成していますか。
ある場合、そのタイトル（資料名）を教えてください。

追加質問

(1) 先日のご回答で、人種差別防止に関する研修を警察学校と警察本部で行っているとご説明いただきました。こうした研修の中で、人種差別的な職務質問（いわゆるレイシャル・プロファイリング）について教えていますか。教えている場合、その具体的な内容を教えてください。実施していない場合、今後レイシャル・プロファイリングに関して研修で教えることを検討しているかについてもご回答ください。

(2) 研修内容について、貴警察では外国にルーツのある当事者（外国人や、ミックスルーツの日本人など）をスピーカー（または講師）として招いて、人権に関する講演会を実施していますでしょうか。

北海道警察

回答部署　広報課（電話回答）

1回目

① 管轄する警察学校で、生徒に対して人種差別防止に関する研修を行っていますか。研修を行っている場合、いない場合、その理由をお教えください。

② 貴警察本部で、所属する警察官に対して人種差別防止に関する研修を行っていますか。いる場合、いない場合、その理由をお教えください。

研修は行っています。個人の生命、身体や財産を保護し、公共の安全と秩序を維持する業務に従事していることから、職務執行に当たり、人権に対する正しい理解と配慮が求められるため、人種差別防止を含めた各種の人権教育を実施しています。

③ 人種差別に関する研修を行っている場合、⑴いつから行っているか ⑵対象は誰か ⑶頻度 ⑷研修の内容（講師の所属、使用している資料）──の4点を具体的に教えてください。

(1)明確な開始時期は記録が存在しないため確たることを申し上げることは困難ですが、従来から継続的に実施しています。
(2)全職員を対象にしています。
(3)教養計画に基づき、適切に実施しています。
(4)警察学校の教官等が、「人権の擁護」(法務省)などの資料を配布し、教育を行っています。

④ 警察官による人種差別を防止するためのガイドライン等を作成していますか。ある場合、そのタイトル（資料名）を教えてください。

作成はありません。職務執行に当たっては、人権に配意した適切なものとなるよう、職員に対する教育を行っているものです。

追加質問

(1)北海道警察においては、職務質問の際における留意点として、人種・国籍等に基づく差別的取り扱いを行わないよう指導しております。
(2)当事者の講演は実施していません。

青森県警察

回答部署　教養課

1回目

① 管轄する警察学校で、生徒に対して人種差別防止に関する研修を行っていますか。研修を行っている場合、いない場合、その理由をお教えください。

行っている
新たに採用された警察職員に対する警察学校での採用時教養として
・外国人等の各種人権課題に関する理解を深めるための教養
・外国人や障害者、LGBTQ等の人種差別防止に関する教養(実習含む)
・人権に配意した職務質問等の実習教養を行い、職務遂行の基礎的な能力として教養することとしている。

② 貴警察本部で、所属する警察官に対して人種差別防止に関する研修を行っていますか。いる場合、いない場合、その理由をお教えください。

行っている

③ 人種差別に関する研修を行っている場合、(1)いつから行っているか (2)対象は誰か (3)頻度 (4)研修の内容(講師の所属、使用している資料)—の4点を具体的に教えてください。

(1)教養開始時期の詳細は不明
(2)全警察職員
(3)通年
(4)・職務質問、取調べ等各担当課による専科教養
・職場教養担当課による手話等のオンライン教養
・幹部職員による定期教養
・部外講師等による集合教養
※配布資料は講師に一任

④ 警察官による人種差別を防止するためのガイドライン等を作成していますか。ある場合、そのタイトル(資料名)を教えてください。

なし

追加質問

(1)人権に配意した職務質問の実習教養の中で、「レイシャル・プロファイリング」について触れているが、レイシャル・プロファイリングに特化した研修は行っていない。
(2)青森県警では、外国ルーツの当事者を招いての人種差別防止に関する講演は行っていない。

岩手県警察

回答部署　県民課広報係

1回目

① 管轄する警察学校で、生徒に対して人種差別防止に関する研修を行っていますか。研修を行っている場合、いない場合、その理由をお教えください。

行っている。

警察は、国民の基本的人権と深い関わりを持つ職務であることから、人種差別防止を含めた各種人権教育を行っている。

② 貴警察本部で、所属する警察官に対して人種差別防止に関する研修を行っていますか。いる場合、いない場合、その理由をお教えください。

行っている。

上記同様、警察職員の職務執行は、国民の基本的人権と深い関わりを持つ職務であることから、人種差別防止を含めた各種人権への理解を深める教育を推進している。

③ 人種差別に関する研修を行っている場合、⑴いつから行っているか ⑵対象は誰か ⑶頻度 ⑷研修の内容（講師の所属、使用している資料）―の４点を具体的に教えてください。

(1)明確な時期の回答は困難であるが、従来から継続的に実施している。
(2)主に新たに採用された警察職員に実施しており、対象は全ての警察職員としている。
(3)教養計画に基づき行うもののほか、随時、必要に応じて行っている。
(4)一例として、警察学校においては、教官が講義を行っており、また、部外講師が「人権の擁護（法務省発行）」や関連資料を用いて人権に関連する講義を行っている。部外講師が使用する資料は講師に一任している。

④ 警察官による人種差別を防止するためのガイドライン等を作成していますか。ある場合、そのタイトル（資料名）を教えてください。

人種差別を防止するためのガイドラインは作成していないが、人権に配意した適正な職務執行となるよう、人種差別防止を含めた各種人権教育を行っている。

追加質問

(1)岩手県警察においては、職務質問の際における留意点として、人種、国籍等に基づく差別的取扱いを行わないよう指導している。
(2)部外講師のプライバシーを侵害するおそれがあるため、回答することは差し控える。

宮城県警察

回答部署　広報相談課

1回目

① 管轄する警察学校で、生徒に対して人種差別防止に関する研修を行っていますか。研修を行っている場合、いない場合、その理由をお教えください。

行っている。

警察業務の基本として、人種差別防止を含めた各種人権教育を実施している。

また、警察本部長自らが、ダイバーシティへの理解など職務上の公平性に関する講義を行っている。

② 貴警察本部で、所属する警察官に対して人種差別防止に関する研修を行っていますか。いる場合、いない場合、その理由をお教えください。

行っている。

犯罪捜査等、人権に関わりの深い職務を行っていることから、人種差別防止を含めた各種人権教育を実施している。

③ 人種差別に関する研修を行っている場合、(1)いつから行っているか (2)対象は誰か (3)頻度 (4)研修の内容（講師の所属、使用している資料）—の4点を具体的に教えてください。

(1)人権に関する事項については、警察職務の根幹に関するものであり、従来から継続的に実施している。
(2)採用時教養から実施しており、全ての警察職員を対象としている。
(3)教養計画等に基づき、適切に実施している。
(4)「人権の擁護（法務省発行）」や部内で作成した資料等を用いて、警察職員が講師となり、教育を実施している。

④ 警察官による人種差別を防止するためのガイドライン等を作成していますか。ある場合、そのタイトル（資料名）を教えてください。

ガイドラインは作成していない。

人権に配意した適正な職務執行を行うよう、教養を徹底している。

追加質問

(1)教えている。
宮城県警察においては、職務質問の際における留意点として、人種・国籍等に基づく差別的取り扱いを行わないように指導している。
(2)実施していない。

秋田県警察

回答部署　警務課企画第一係

1回目

① 管轄する警察学校で、生徒に対して人種差別防止に関する研修を行っていますか。研修を行っている場合、いない場合、その理由をお教えください。

実施している。警察の各種活動は、人権への配慮が欠かせないため、人種差別防止を含めた各種教養を実施している。

② 貴警察本部で、所属する警察官に対して人種差別防止に関する研修を行っていますか。いる場合、いない場合、その理由をお教えください。

実施している。警察の各種活動は、人権への配慮が欠かせないため、人種差別防止を含めた各種教養を実施している。

③ 人種差別に関する研修を行っている場合、⑴いつから行っているか ⑵対象は誰か ⑶頻度 ⑷研修の内容（講師の所属、使用している資料）— の4点を具体的に教えてください。

⑴明確な開始時期は、記録が存在しないため確たることを申し上げるのは困難であるが、従来から継続的に実施している。

⑵研修内容に応じて対象職員に実施している。

⑶年1回以上

⑷人権に配意した適正な職務執行に関する研修を実施している。

④ 警察官による人種差別を防止するためのガイドライン等を作成していますか。ある場合、そのタイトル（資料名）を教えてください。

ガイドライン等は作成していないが、警察の職務執行に当たっては人権に配慮した適正なものとなるよう警察職員に対する教養を徹底している。

追加質問

⑴秋田県警察においては、職務質問の際における留意点として、人種・国籍等に基づく差別的取扱を行わないよう指導している。

⑵部外講師のプライバシーを侵害する恐れがあるため、回答することは差し控える。

山形県警察

回答部署　人材育成課

1回目

① 管轄する警察学校で、生徒に対して人種差別防止に関する研修を行っていますか。研修を行っている場合、いない場合、その理由をお教えください。

行っています。

【理由】人種差別を含めた各種人権課題や人権に配意した職務執行への理解は、採用時教養の段階から警察官に不可欠であるため。

② 貴警察本部で、所属する警察官に対して人種差別防止に関する研修を行っていますか。いる場合、いない場合、その理由をお教えください。

行っています。

【理由】警察業務には、人種差別を含めた各種人権課題や人権に配意した職務執行への理解が不可欠であるため。

③ 人種差別に関する研修を行っている場合、⑴いつから行っているか ⑵対象は誰か ⑶頻度 ⑷研修の内容（講師の所属、使用している資料）—の４点を具体的に教えてください。

従来から警察学校において、初任科生及び初任補修科生に対し、教養実施計画に基づいて、継続的に行っています。また、講義は、警察学校教官や部外講師（山形地方法務局人権擁護課職員）が、「人権の擁護」（法務省人権擁護局発行の教養冊子）等を使用して行っています。

④ 警察官による人種差別を防止するためのガイドライン等を作成していますか。ある場合、そのタイトル（資料名）を教えてください。

作成していません。なお、警察職員の職務執行に当たっては、人権に配意した適正なものとなるよう、教養を行っています。

追加質問

(1)（③で回答した）講義の中で、レイシャル・プロファイリングについて触れている。
(2)当事者を招いての講演は行っていない。

福島県警察

回答部署　教養課

1回目

① 管轄する警察学校で、生徒に対して人種差別防止に関する研修を行っていますか。研修を行っている場合、いない場合、その理由をお教えください。

人種差別防止に特化した研修は行っておりませんが、警察の職務は、様々な場面において基本的人権と深く関わることから、各種学校教養において、人種差別防止、人権に配意した適切な応接・処遇等に関する授業を実施しています。

② 貴警察本部で、所属する警察官に対して人種差別防止に関する研修を行っていますか。いる場合、いない場合、その理由をお教えください。

人種差別防止に特化した研修は行っておりませんが、警察の職務は、様々な場面において基本的人権と深く関わることから、本部主催の現場で職務執行する警察官を対象とした各種研修等において、人種差別防止、人権に配意した適切な応接・処遇等に関する教養を実施しています。

③ 人種差別に関する研修を行っている場合、⑴いつから行っているか ⑵対象は誰か ⑶頻度 ⑷研修の内容（講師の所属、使用している資料）――の4点を具体的に教えてください。

人種差別防止に特化した研修は実施しておりませんが、各種研修内で実施している人種差別防止に関する教養は以下のとおりです。

(1)明確な開始時期は不明

(2)全ての警察職員

(3)教養計画等に基づき、適切に実施している

(4)警察学校の教官や部外講師が、「人権の擁護(法務省発行)」等を用いて講義を行っている

④ 警察官による人種差別を防止するためのガイドライン等を作成していますか。ある場合、そのタイトル（資料名）を教えてください。

県警察では、独自のガイドラインは作成しておりません。なお、各種職務執行が人権に配意した適切なものとなるよう、人種差別防止、人権に配意した適切な応接・処遇、文化風習への理解、社会情勢に応じた対応等について、各種研修等において教養を徹底しております。

追加質問

人種差別防止に特化した研修は行っていませんが、レイシャル・プロファイリングについては、職務質問の研修の中で必ず触れるようにしています。ロールプレイング形式の訓練や、職務質問に限らず外国人への対応要領の中で、差別的な発言をしないよう教えています。当事者を招いての講演は行っていません。

茨城県警察

回答部署　教養課、地域課

1回目

① 管轄する警察学校で、生徒に対して人種差別防止に関する研修を行っていますか。研修を行っている場合、いない場合、その理由をお教えください。

行っている。警察は、犯罪捜査等の人権に関わりの深い職務を行っていることから、人種差別防止を含めた各種人権教育を実施している。

② 貴警察本部で、所属する警察官に対して人種差別防止に関する研修を行っていますか。いる場合、いない場合、その理由をお教えください。

行っている。人権に配意した適正な職務執行のため、人権尊重に関する教育を実施している。

③ 人種差別に関する研修を行っている場合、⑴いつから行っているか ⑵対象は誰か ⑶頻度 ⑷研修の内容（講師の所属、使用している資料）──の4点を具体的に教えてください。

(1)従来から実施しているが、開始時期を明らかにする記録がないため回答は困難である。

(2)全職員を対象としている。

(3)(令和4年度)随時実施している。

(4)警察学校の学生に対しては、教官や部外講師が教育を行っており、「人権の擁護」(法務省人権擁護局発行のもの)を学生に配布している。また、各所属の警察職員には、教養担当者等が「職務倫理教養の手引き」(警察庁作成)を使用し、教育を実施している。

④ 警察官による人種差別を防止するためのガイドライン等を作成していますか。ある場合、そのタイトル(資料名)を教えてください。

作成していない。ただし、警察職員に対しては、人権の課題等に対する理解を深め、人種差別に配意した適正な警察活動を実施するよう教育を行っている。

追加質問

(1)茨城県警察においては、職務質問の際における留意点として、人種･国籍等に基づく差別的取り扱いを行わないよう授業など教養の場で指導している。

(2)部外講師のプライバシーを侵害する恐れがあるため、回答することは差し控える。

栃木県警察

回答部署　警務課企画第一係

1回目

① 管轄する警察学校で、生徒に対して人種差別防止に関する研修を行っていますか。研修を行っている場合、いない場合、その理由をお教えください。

行っている。警察は、人種や国籍に関係なく、県内の治安維持を担う業務や犯罪捜査等の人権に関わりの深い業務を行っていることから、人種差別防止を含めた各種人権教育を実施している。

② 貴警察本部で、所属する警察官に対して人種差別防止に関する研修を行っていますか。いる場合、いない場合、その理由をお教えください。

行っている。理由は質問1の回答と同じ。

③ 人種差別に関する研修を行っている場合、⑴いつから行っているか ⑵対象は誰か ⑶頻度 ⑷研修の内容（講師の所属、使用している資料）―の４点を具体的に教えてください。

(1)（警察学校・警察本部 共通▶）明確な開始時期は記録が存在しないため確たることは判明しないが、以前から継続的に実施している。

(2)（警察学校▶）全ての学生が対象

（警察本部▶）全ての警察職員を対象として、能力又は職務に応じた研修を行っている。

(3)（警察学校▶）教養計画に基づき実施している。

（警察本部▶）年間を通して行っている。

(4)（警察学校▶）警察学校の教官や部外講師が「人権の擁護」等を用いて講義を行っている。

（警察本部▶）専務係の指導担当の警察官が、執務資料を用いて研修を行っている。

④ 警察官による人種差別を防止するためのガイドライン等を作成していますか。ある場合、そのタイトル（資料名）を教えてください。

県警独自のガイドラインは作成していない。
警察の職務執行に当たっては、人権に配意した適正なものとなるよう、警察職員に対する教育を行っている。

追加質問

(1)栃木県警察では、職務質問の際における留意点として、人種・国籍等に基づく差別的取り扱いを行わないよう指導しております。

(2)部外講師のプライバシーを侵害する恐れがあるため、回答することは差し控えたい。

群馬県警察

回答部署　広報広聴課

1回目

① 管轄する警察学校で、生徒に対して人種差別防止に関する研修を行っていますか。研修を行っている場合、いない場合、その理由をお教えください。

行っている。

警察は、犯罪捜査等の人権に関わりの深い職務を行っていることから、人種差別防止を含めた各種人権教育を実施しています。

② 貴警察本部で、所属する警察官に対して人種差別防止に関する研修を行っていますか。いる場合、いない場合、その理由をお教えください。

行っている。

総検挙数のうち、外国人の占める割合が比較的多いことから、必要な機会を捉えて教養を実施しています。

③ 人種差別に関する研修を行っている場合、⑴いつから行っているか ⑵対象は誰か ⑶頻度 ⑷研修の内容（講師の所属、使用している資料）─の４点を具体的に教えてください。

⑴明確な開始時期は記録が存在しないため、不明ですが、従来から継続的に実施しています。

⑵全ての警察職員を対象としています。

⑶警察学校の生徒に対しては計画的に、その他の警察職員に対しては随時実施しています。

⑷生徒に対しては警察学校の教官が、その他の職員に対しては、教養課員や警察署の幹部職員が「人権の擁護」等法務省の作成した資料を活用して教養をしています。

④ 警察官による人種差別を防止するためのガイドライン等を作成していますか。ある場合、そのタイトル（資料名）を教えてください。

作成していない。

追加質問

⑴群馬県警察においては、職務質問時における留意点として、人種、国籍等に基づく差別的な取扱いをしないように指導しています。

⑵講師のプライバシーを侵害するおそれがあるため、回答することは差し控えさせていただきます。

千葉県警察

回答部署　広報県民課広報係

1回目

① 管轄する警察学校で、生徒に対して人種差別防止に関する研修を行っていますか。研修を行っている場合、いない場合、その理由をお教えください。

実施しています。警察官は人権に関わりの深い職務を行っており、各種人権への配慮が必要なことから、人種差別防止を含めた各種人権教育を実施しています。

② 貴警察本部で、所属する警察官に対して人種差別防止に関する研修を行っていますか。いる場合、いない場合、その理由をお教えください。

実施しています。警察官は人権に関わりの深い職務を行っており、各種人権への配慮が必要なことから、人種差別防止を含めた各種人権教育を実施しています。

③ 人種差別に関する研修を行っている場合、⑴いつから行っているか ⑵対象は誰か ⑶頻度 ⑷研修の内容（講師の所属、使用している資料）— の4点を具体的に教えてください。

従来より、年間の教養計画に基づき、職員が、全職員を対象に継続的に教育を実施しており、外国人の人権を含む各種人権教育及び適正な職務執行を行う上で必要な人権への配慮について、「人権の擁護（法務省発行）」等の資料を用いて実施しています。

④ 警察官による人種差別を防止するためのガイドライン等を作成していますか。ある場合、そのタイトル（資料名）を教えてください。

警察の職務執行に当たっては人権に配意した適正なものとなるよう警察職員に対する教育を徹底しておりますが、ガイドラインは作成していません。

追加質問

(1)千葉県警においては、職務質問における留意点として、人種、国籍等に基づく差別的取扱を行わないよう指導しています。
(2)部外講師のプライバシーを侵害するおそれがあるため、回答することは差し控えます。

埼玉県警察

回答部署 教養課

1回目

① 管轄する警察学校で、生徒に対して人種差別防止に関する研修を行っていますか。研修を行っている場合、いない場合、その理由をお教えください。

行っています。

警察は、犯罪捜査等の人権に関わりの深い職務を行っていることから、人種差別防止を含めた各種人権教育を実施しています。

② 貴警察本部で、所属する警察官に対して人種差別防止に関する研修を行っていますか。いる場合、いない場合、その理由をお教えください。

行っています。

前述のとおり、警察は人権に関わりの深い職務を行っていることから、外国人の人権を含む各種人権教育を行っています。

③ 人種差別に関する研修を行っている場合、⑴いつから行っているか ⑵対象は誰か ⑶頻度 ⑷研修の内容(講師の所属、使用している資料)――の4点を具体的に教えてください。

(1)従来から継続的に実施しています。
(2)全ての警察職員を対象としています。
(3)(令和4年度)計画等に基づき、適切に実施しています。
(4)部外講師が、独自に作成した資料を用いて、外国人の人権を含む人権課題に関する講義を行っています。
その他、人権に配意した適正な職務執行に関し、業務を主管する本部所属の警察官が研修等を行っています。

④ 警察官による人種差別を防止するためのガイドライン等を作成していますか。ある場合、そのタイトル(資料名)を教えてください。

作成していません。

人種差別を防止するためのガイドライン等はありませんが、警察の職務執行に当たっては人権に配意した適正なものとなるよう、警察職員に対する教育を徹底しているところです。

追加質問

(1)埼玉県警察においては、職務質問の際における留意点として、人種、国籍等に基づく差別的取扱いを行わないよう指導している。
(2)部外講師のプライバシーを侵害するおそれがあるため、回答することを差し控える。

警視庁

回答部署　広報課広報第4係

1回目

① 管轄する警察学校で、生徒に対して人種差別防止に関する研修を行っていますか。研修を行っている場合、いない場合、その理由をお教えください。

【行っている】警察は、犯罪捜査等の人権に関わりの深い職務を行っているという職務上の理由に加え、東京都には企業や教育機関が集中しているため、外国人の方と接する機会も多いことから、人種差別防止を含めた各種人権教育を実施しているところです。

② 貴警察本部で、所属する警察官に対して人種差別防止に関する研修を行っていますか。いる場合、いない場合、その理由をお教えください。

【行っている】当庁においては、各警察官が職場にある端末で実施するｅラーニングシステムを用いて、人権に関するコンテンツを視聴学習することなどにより人種差別防止に関する教養を深化させています。

③ 人種差別に関する研修を行っている場合、⑴いつから行っているか ⑵対象は誰か ⑶頻度 ⑷研修の内容（講師の所属、使用している資料）―の４点を具体的に教えてください。

(1)令和5年から行っています。
(2)全警察官が上記コンテンツを受講可能です。
(3)各警察官がタイムフリーで随意に実施可能です。
(4)「職務倫理教養ものの見方・考え方～人権尊重の視点で～」
上記コンテンツをｅラーニングシステムに掲載しています。

④ 警察官による人種差別を防止するためのガイドライン等を作成していますか。ある場合、そのタイトル（資料名）を教えてください。

【作成しておりません】ガイドラインについては作成しておりませんが、警察の職務執行に当たっては、人権に配意した適正なものとなるよう上記コンテンツ等により教育を徹底しているところです。

追加質問

(1)当庁においては職務質問の際における留意点として、人種・国籍等に基づく差別的な取り扱いを行わないよう指導している。
(2)部外講師のプライバシーを侵害する恐れがあるため、回答することは差し控えます。

神奈川県警察

回答部署　教養課(電話回答)

1回目

① 管轄する警察学校で、生徒に対して人種差別防止に関する研修を行っていますか。研修を行っている場合、いない場合、その理由をお教えください。

警察学校で人種差別防止の研修を行っています。警察は犯罪捜査等の人権に関わりの深い職務を行っていることから、人種差別防止を含めた各種人権教育を実施しています。

② 貴警察本部で、所属する警察官に対して人種差別防止に関する研修を行っていますか。いる場合、いない場合、その理由をお教えください。

県警本部も研修を行っています。警察学校と同じ理由です。

③ 人種差別に関する研修を行っている場合、⑴いつから行っているか ⑵対象は誰か ⑶頻度 ⑷研修の内容(講師の所属、使用している資料)──の4点を具体的に教えてください。

(1)従前から継続してやっています

(2)全ての警察職員を対象としています

(3)教養計画に基づき実施しているほか、機会を捉えて随時実施しています

(4)警察学校の教官や部外講師等が研修を実施しており、部外講師が使用する資料については講師に一任しています。

- 講義は、国際社会における人権擁護、職務執行においてこれを最大限尊重しなければならないことを理解させる内容です。外国人等にかかる各種人権課題と人権に配意した職務執行の重要性を理解させることが目的。日本国際警察協会から講師を招いている「世界の警察」(授業名)では、世界の警察職員の友好親善と国際交流活動の視点からこれからの警察官に求められる国際感覚、外国人の人権擁護などについて教養しています。
- 警察学校で独立行政法人「国際協力機構横浜センター」における研修、JICA横浜職員を呼んで講義をしています。増加する訪日外国人の実情を踏まえ、国際社会における日本の立場、国際人としての国際交流のあり方を学び、外国人に対する差別の絶無、人権擁護の理解を深めます。
- 警察学校では、警察本部の業務主管課担当者が、担当業務に関する研修等に際して、人権研修の中で人種差別防止に関する教養を実施しています。
- 人権課題の取り組みとしては、法務省の資料「人権の擁護」をもとにやっています。

④ 警察官による人種差別を防止するためのガイドライン等を作成していますか。ある場合、そのタイトル(資料名)を教えてください。

人種差別を防止するためのガイドライン等の資料の作成はありませんが、警察の職務執行に当たっては人権に配意した適正なものとなるよう、警察職員に対する教養を徹底しております。

追加質問

(1)神奈川県警察においては職務質問の際における留意点として、人種・国籍等に基づいて差別的な取り扱いを行わないよう、研修や、必要に応じて指導しています。
レイシャル・プロファイリングの研修を行っているかについては回答しません。レイシャル・プロファイリングという言葉は研修で使っていません。

(2)外国人講師はいません。

新潟県警察

回答部署　教養課、地域課

1回目

① 管轄する警察学校で、生徒に対して人種差別防止に関する研修を行っていますか。研修を行っている場合、いない場合、その理由をお教えください。

警察職員は公共の安全と秩序を維持するという職務に従事しており、その職責上、人権に対する正しい理解と配慮が必要であると認識し、人種差別防止を含めた各種人権教育を実施しているところです。

② 貴警察本部で、所属する警察官に対して人種差別防止に関する研修を行っていますか。いる場合、いない場合、その理由をお教えください。

上記のとおり、職務を執行する上で人権に対する正しい理解と配慮が必要であると認識しており、人種差別防止を含めた各種人権教育を実施しているところです。

③ 人種差別に関する研修を行っている場合、⑴いつから行っているか ⑵対象は誰か ⑶頻度 ⑷研修の内容（講師の所属、使用している資料）―の４点を具体的に教えてください。

(1)従来から継続して実施していますが、研修等の開始時期については記録がないため明確にお答えすることができません。
(2)全ての警察職員を対象としています。
(3)計画的に実施しています。
(4)県警察学校にあっては、「人権の擁護」(法務省人権擁護局発行)を新入学生に配付するとともに、県警察学校の教官等が教科書等を用いて講義を行っています。各所属にあっては、所属幹部が人権教養実施時等に「職務倫理教養の手引」(令和4年9月、警察庁長官官房教養厚生課発行)を活用しています。

④ 警察官による人種差別を防止するためのガイドライン等を作成していますか。ある場合、そのタイトル（資料名）を教えてください。

人種差別防止に特化したガイドライン等はありませんが、人権に配意した適正な職務執行となるよう、県警察職員に対する教養を実施しているところです。

追加質問

(1)新潟県警においては、職務質問の際における留意点として人種、国籍等に基づく差別的取扱いを行わないように指導している。
(2)部外講師のプライバシーを侵害するおそれがあるため回答を差し控える。

富山県警察

回答部署　教養課、地域企画課

1回目

① 管轄する警察学校で、生徒に対して人種差別防止に関する研修を行っていますか。研修を行っている場合、いない場合、その理由をお教えください。

人種差別防止を含めた各種人権に関する教養を行っている。警察は、犯罪捜査等の人権に関わりの深い職務を行っていることから、人種差別防止を含め、各種人権に関する教養を行っている。

② 貴警察本部で、所属する警察官に対して人種差別防止に関する研修を行っていますか。いる場合、いない場合、その理由をお教えください。

人種差別防止を含めた各種人権に関する教養を行っている。警察は、犯罪捜査等の人権に関わりの深い職務を行っていることから、人種差別防止を含め、各種人権に関する教養を行っている。

③ 人種差別に関する研修を行っている場合、(1)いつから行っているか (2)対象は誰か (3)頻度 (4)研修の内容（講師の所属、使用している資料）―の４点を具体的に教えてください。

(1)開始時期は不明であるが、従来から継続的に実施している。
(2)すべての警察職員を対象としている。
(3)教養実施計画等に基づき、適切に実施している。
(4)警察学校における専科教養等においては、教官等による「人権の擁護（法務省人権擁護局）」に基づいた教養や部外講師による講義、校外研修等を行っているほか、各所属においても部外講師を招聘した教養を実施している。

④ 警察官による人種差別を防止するためのガイドライン等を作成していますか。ある場合、そのタイトル（資料名）を教えてください。

ガイドラインについては作成していないが、警察職員一人一人が、多様性を理解し、お互いを尊重するとともに、国際社会の一員としての意識の醸成を図っているほか、警察の職務執行に当たっては、関係法令の適正な運用を図るとともに、人種差別防止も含め人権に配意した適正なものとなるよう、教育を徹底している。

追加質問

(1)富山県警察においては、職務質問の際における留意点について、人種、国籍等に基づく、差別的取扱いを行わないように指導している。
(2)部外講師のプライバシー等を侵害する恐れがあるため回答することを差し控える。

石川県警察

回答部署　人材育成課

1回目

① 管轄する警察学校で、生徒に対して人種差別防止に関する研修を行っていますか。研修を行っている場合、いない場合、その理由をお教えください。

行っている。警察は、職務を執行する上で人権に関わる機会が多いことから、警察学校において、人種差別防止を含む各種人権に関する研修を実施している。

② 貴警察本部で、所属する警察官に対して人種差別防止に関する研修を行っていますか。いる場合、いない場合、その理由をお教えください。

行っている。警察本部においても、各種警察活動において、人種や国籍等に基づく差別的取扱いと誤解を受けないために、人種差別防止を含む各種人権に関する研修を実施している。

③ 人種差別に関する研修を行っている場合、⑴いつから行っているか ⑵対象は誰か ⑶頻度 ⑷研修の内容（講師の所属、使用している資料）―の4点を具体的に教えてください。

⑴明確な開始時期を申し上げることは記録が残っていないため困難です。

⑵当県警察の全職員を対象としている。

⑶警察学校入校中や各種研修の機会において、随時、実施している。

⑷警察学校においては、教官等が各種人権課題と人権に配意した職務執行の重要性等に関する研修を実施している。当県警察では「初心不可忘」という資料を作成しており、同資料において「人権擁護」に関する項目を盛り込んでいる。

また、警察庁において作成された資料「職務倫理教養の手引」と併せて当県警察職員が閲覧可能なネットワーク上に掲載するなどして、人種差別防止を含む人権に関する教育を行っている。

④ 警察官による人種差別を防止するためのガイドライン等を作成していますか。ある場合、そのタイトル（資料名）を教えてください。

なし

追加質問

⑴当県警察においては、職務質問の際における留意点として、人種・国籍などに基づく、差別的取扱を行わないよう指導している。

⑵（外国にルーツのある当事者を招いての講演会は）実施していない。

福井県警察

回答部署　教養課

1回目

① 管轄する警察学校で、生徒に対して人種差別防止に関する研修を行っていますか。研修を行っている場合、いない場合、その理由をお教えください。

行っている。警察は、各種業務において人権に配意した活動を心掛ける必要があることから、人種差別防止を含めた各種人権教育を実施しているところであります。

② 貴警察本部で、所属する警察官に対して人種差別防止に関する研修を行っていますか。いる場合、いない場合、その理由をお教えください。

行っている。警察は各種業務で人権に関わりの深い職務を行っているため、同業務に従事する職員を中心に人種差別防止を含め、人権に配意した職務執行を指導しているほか、全職員に対し、各種教養資料を随時閲覧できるようしているところであります。

③ 人種差別に関する研修を行っている場合、(1)いつから行っているか (2)対象は誰か (3)頻度 (4)研修の内容(講師の所属、使用している資料)―の4点を具体的に教えてください。

(1)明確な開始時期は記録が存在しないため確たることを申し上げることは困難でありますが、従来から継続的に実施しております。

(2)新たに任用される警察官、職員及び、市民と接する機会の多い地域警察官などを中心に全ての警察職員を対象としております。

(3)採用時における研修である「初任科」、「初任補修科」などの職務倫理の授業において各種人権課題(外国人にかかわるものを含む)への理解や人権に配意した職務執行の重要性に関し、反復して指導、教育しております。

また、教養実施計画に基づく専科教養での講義において人権に配意した職務執行を指導しているほか、これら業務に関する教養資料を随時作成し全職員向けに閲覧に供するなどを通し、適切に実施しているところであります。

(4)新たに任用される警察官等に対しては、警察学校の教官などが「人権の擁護」(法務省人権擁護局発行)、「職務倫理教養の手引」(警察庁長官官房教養厚生課発出)のほか、各自の資料を用いて行っております。

また、専科教養においては、それぞれの業務の指導的立場にある部署の職員が講師となり、警察庁発行の執務資料などを用いて講義を行っております。

④ 警察官による人種差別を防止するためのガイドライン等を作成していますか。ある場合、そのタイトル(資料名)を教えてください。

ガイドラインの作成無し。警察の職務執行に当たっては人権に配意した適正なものになるよう、教育を徹底しており、人種差別に起因する当県警職員の職務に対しての苦情は、記録に残る限り受理していないところであります。

追加質問

(1)福井県警では地域部門において、専科教養や職務質問技能指導員による同行指導のほか、各種教養資料を発出するなどして、職務質問の際の留意点として、人種・国籍等に基づいて、差別的な取扱いを行わないよう指導しております。

(2)福井県警では、外国人若しくは外国籍を有する者が講師となっての人種差別防止に関する教養は、実施しておりません。

山梨県警察

回答部署　地域課(電話回答)

1回目

① 管轄する警察学校で、生徒に対して人種差別防止に関する研修を行っていますか。研修を行っている場合、いない場合、その理由をお教えください。

② 貴警察本部で、所属する警察官に対して人種差別防止に関する研修を行っていますか。いる場合、いない場合、その理由をお教えください。

県警では研修を行っている。警察は犯罪捜査等、人権に関わりの深い職務を行っていることから、人種差別防止を含めた人権教育を実施しております。

③ 人種差別に関する研修を行っている場合、(1)いつから行っているか (2)対象は誰か (3)頻度 (4)研修の内容(講師の所属、使用している資料)―の４点を具体的に教えてください。

(1)明確な開始時期は記録が存在しないため、確たることを申し上げることは困難でありますが、従来から継続的に実施しております。

(2)全ての警察官を対象にしています

(3)各警察署へ巡回する研修を毎年1回以上行っております。人種差別防止を含めた人権教育。

(4)取り調べ監督を主管する総務課では取り調べにおいて人の尊厳を著しく害する発言をしないよう指導しており、また、地域課では、人種・肌の色・国籍・服装等を端緒とした差別的な職務質問を防止し、外国人の人権等に配意した適正な職務執行を行うよう指導しております。法務省人権擁護局が出版している「人権の擁護」の冊子を使用する。警察職員が講師。

④ 警察官による人種差別を防止するためのガイドライン等を作成していますか。ある場合、そのタイトル(資料名)を教えてください。

山梨県警ではガイドラインは作成しておりませんが、警察の職務執行に当たっては、人権に配意した適正なものとなるよう、警察職員に対する教育を徹底しています。

追加質問

(1)具体的な指導内容については、お答えを差し控えます。理由につきましては、個別具体の指導内容なので、お答えはできません。

(2)外国ルーツの当事者の講演はなし。

長野県警察

回答部署　教養課、地域課

1回目

① 管轄する警察学校で、生徒に対して人種差別防止に関する研修を行っていますか。研修を行っている場合、いない場合、その理由をお教えください。

行っている。理由は、警察官の職務執行は、直接、権利、自由に影響を及ぼすもので、権限の行使に当たっては最大限に人権を尊重しなければならないため。

② 貴警察本部で、所属する警察官に対して人種差別防止に関する研修を行っていますか。いる場合、いない場合、その理由をお教えください。

行っている。理由は警察学校で実施している理由に加えて、警察職員として、高い倫理観の涵養に努め、職務倫理を保持していくため、警察学校における教養だけでなく、卒業後の職場においても随時実施している。

③ 人種差別に関する研修を行っている場合、(1)いつから行っているか (2)対象は誰か (3)頻度 (4)研修の内容（講師の所属、使用している資料）—の4点を具体的に教えてください。

(1)明確な開始時期は、記録が残っておらず判然としないが、以前から継続して教養を実施している
(2)全ての長野県警察職員が対象
(3)教養計画等に基づいて、適切に実施している
(4)警察学校では、学校教官による教養資料等を活用した講義及び部外講師による講演等により実施している。職場における教養においても、教養資料等を活用した指導・教養を実施している。

④ 警察官による人種差別を防止するためのガイドライン等を作成していますか。ある場合、そのタイトル（資料名）を教えてください。

ガイドライン等の作成はないが、朝礼等の幹部指示等で、職務執行に際しては、人権に配慮した適正なものとなるよう指導・教養を徹底している。

追加質問

(1)長野県警察においては、職務質問の際における留意点として、人種、国籍等に基づく差別的取扱いを行わないよう指導している。
(2)実施していない

岐阜県警察

回答部署　広報県民課

1回目

① 管轄する警察学校で、生徒に対して人種差別防止に関する研修を行っていますか。研修を行っている場合、いない場合、その理由をお教えください。

行っている。警察官は他者と接し、相手の立場を理解し尊重した対応が求められる職業であるため。

② 貴警察本部で、所属する警察官に対して人種差別防止に関する研修を行っていますか。いる場合、いない場合、その理由をお教えください。

行っている。警察官は他者と接し、相手の立場を理解し尊重した対応が求められる職業であるため。

③ 人種差別に関する研修を行っている場合、(1)いつから行っているか (2)対象は誰か (3)頻度 (4)研修の内容（講師の所属、使用している資料）—の4点を具体的に教えてください。

(1)従来から継続して実施している。
(2)全ての警察職員
(3)計画に基づき通年で実施している。その他、随時、警察署等の指導を実施している。
(4)警察職員が講義を行い、法務省人権擁護局発行の「人権の擁護」等を資料として使用している。

④ 警察官による人種差別を防止するためのガイドライン等を作成していますか。ある場合、そのタイトル（資料名）を教えてください。

ガイドラインの作成なし。警察の職務執行に当たっては人権に配意した適正なものとなるよう、警察職員に対する教育を徹底している。

追加質問

(1)岐阜県警察においては、職務質問の際における留意点として、人種・国籍等に基づく差別的取り扱いを行わないよう研修などで指導しております。
(2)警察庁の指導もあり、部外講師のプライバシーを侵害する恐れがあるため、回答は差し控えさせていただく。

静岡県警察

回答部署　広報課

1回目

① 管轄する警察学校で、生徒に対して人種差別防止に関する研修を行っていますか。研修を行っている場合、いない場合、その理由をお教えください。

行っています。

警察は、犯罪捜査等の人権に関わりの深い職務を行っていることから、人種差別防止を含めた各種人権に関する教養を実施しております。

② 貴警察本部で、所属する警察官に対して人種差別防止に関する研修を行っていますか。いる場合、いない場合、その理由をお教えください。

行っています。

警察の職務は多種多様な人との接触があることから、機会ある毎に各種人権に関する教養を行う必要性があるからです。

③ 人種差別に関する研修を行っている場合、(1)いつから行っているか (2)対象は誰か (3)頻度 (4)研修の内容（講師の所属、使用している資料）― の4点を具体的に教えてください。

(1)記録の残る令和2年度以降は実施しております。（それ以前は記録なし）
(2)全警察官を対象としています。
(3)定期的に実施しています。警察学校における、警察官採用時の教養期間及び、特定の分野に関する専門的な知識及び技能を習得させるための課程における警察本部員による授業のほか、警察本部員が各警察署に出向き、研修を行っています。
(4)・人権の擁護：外国人等の人権尊重（静岡県人権啓発センター、個人作成資料）
・共生対策：やさしい日本語等について（警察本部員、個人作成資料）
・被留置者の対応：食・宗教等について（警察本部員、個人作成資料）

④ 警察官による人種差別を防止するためのガイドライン等を作成していますか。ある場合、そのタイトル（資料名）を教えてください。

ガイドラインの作成はありませんが、職務執行に当たっては人権に配意するよう指導を徹底しております。

追加質問

(1)静岡県警察においては、職務質問の際における留意点として、人種国籍等に基づく差別的取扱いを行わないよう指導している。
(2)回答は差し控えます。

愛知県警察

回答部署　広報課

1回目

① 管轄する警察学校で、生徒に対して人種差別防止に関する研修を行っていますか。研修を行っている場合、いない場合、その理由をお教えください。

研修を行っている。

警察は法の執行者として、国民の権利を制限する権限が付与されている等、基本的人権と深く関わりを持っており、職務執行に当たり人権を尊重することは警察職員の職務倫理の重要な要素であるため。

② 貴警察本部で、所属する警察官に対して人種差別防止に関する研修を行っていますか。いる場合、いない場合、その理由をお教えください。

研修を行っている。

学校教養同様、警察は法の執行者として、国民の権利を制限する権限が付与されている等、基本的人権と深く関わりを持っており、職務執行に当たり人権を尊重することは警察職員の職務倫理の重要な要素であるため。

③ 人種差別に関する研修を行っている場合、⑴いつから行っているか ⑵対象は誰か ⑶頻度 ⑷研修の内容（講師の所属、使用している資料）―の４点を具体的に教えてください。

(1)研修の開始時期に関する文書等が確認できないため、回答することは困難である。
(2)地域警察官を中心とした全ての警察職員
(3)随時
(4)警察学校の教官や警察本部の業務主管課担当者が、担当業務に関する研修などに際して、人種差別の防止に関する教養を行っている。

④ 警察官による人種差別を防止するためのガイドライン等を作成していますか。ある場合、そのタイトル（資料名）を教えてください。

人種差別を防止するためのガイドラインは作成していない。職務執行に当たっては、人権に配意した適正なものとなるよう、指導を継続している。

追加質問

(1)愛知県警察では、警察学校や警察本部における研修に際して、職務質問における留意点として、人種、国籍等に基づく差別的取扱いを行わないよう指導している。
(2)部外講師のプライバシーを侵害するおそれがあるため、その有無を含めて回答することは差し控える。

三重県警察

回答部署　警務課

1回目

① 管轄する警察学校で、生徒に対して人種差別防止に関する研修を行っていますか。研修を行っている場合、いない場合、その理由をお教えください。

行っている。警察は、犯罪捜査等の人権に関わりの深い職務を行っていることから、人種差別防止を含めた各種人権教育を実施している。

② 貴警察本部で、所属する警察官に対して人種差別防止に関する研修を行っていますか。いる場合、いない場合、その理由をお教えください。

行っている。警察は、犯罪捜査等の人権に関わりの深い職務を行っていることから、職務執行の際の人種差別防止について指導・教養を実施している。

③ 人種差別に関する研修を行っている場合、⑴いつから行っているか ⑵対象は誰か ⑶頻度 ⑷研修の内容（講師の所属、使用している資料）──の４点を具体的に教えてください。

⑴明確な開始時期は記録が存在しないため確たることを申し上げることは困難であるが、従来から継続的に実施している。

⑵全ての警察職員を対象としている。

⑶教養計画等に基づき、適切に実施している。

⑷警察学校においては、学校教官や部外講師による教養を実施している。各所属においては、幹部職員による教養を実施している。資料は、「人権の擁護」、「職務倫理教養の手引き（原文ママ）」等を用いている。部外講師の資料は、講師に一任している。

④ 警察官による人種差別を防止するためのガイドライン等を作成していますか。ある場合、そのタイトル（資料名）を教えてください。

当県警独自のガイドラインは作成していないが、警察の職務執行に当たっては、人権に配意した適正なものとなるよう、警察職員に対する指導・教養を徹底している。

追加質問

⑴三重県警察においては職務質問の際における留意点として、人種・国籍等に基づく差別的取扱いを行わないように指導している。

⑵外国人講師による教養を実施している。人権研修の部外講師として招いている。レイシャル・プロファイリングや職務質問に特化しているわけではない。日本と外国の警察の違いを紹介し、外国人と接する時に相手がどのように感じることがあるかを伝えている。講師が、本人のレイシャル・プロファイリングの体験を話すわけではない。

滋賀県警察

回答部署　企画教養課

1回目

① 管轄する警察学校で、生徒に対して人種差別防止に関する研修を行っていますか。研修を行っている場合、いない場合、その理由をお教えください。

行っている。

警察業務は、犯罪捜査など人権に深い関わりを持つものが多く、基礎知識として知っておく必要があるため、人種差別防止を含めた人権教育を実施している。

② 貴警察本部で、所属する警察官に対して人種差別防止に関する研修を行っていますか。いる場合、いない場合、その理由をお教えください。

行っている。

警察業務は、犯罪捜査など人権に深い関わりを持つものが多く、基礎知識として知っておく必要があるため、人種差別防止を含めた人権教育を実施している。

③ 人種差別に関する研修を行っている場合、⑴いつから行っているか ⑵対象は誰か ⑶頻度 ⑷研修の内容（講師の所属、使用している資料）—の４点を具体的に教えてください。

(1)明確な開始時期は記録が存在しないため困難であるが、従来から継続的に実施している
(2)全ての警察職員を対象としている
(3)学校教養は教養実施計画に基づき、職場教養は各警察署や本部所属で随時実施している
(4)警察学校教官や各所属の教養担当者が、
・「人権の擁護(法務省発行)」
・「職務倫理教養の手引」(令和4年9月、警察庁長官官房教養厚生課発出)
・「こころやわらかく改訂版」(令和5年3月、滋賀県人権施策推進課発出)
等の資料を活用して、朝礼等で教養を実施している。

④ 警察官による人種差別を防止するためのガイドライン等を作成していますか。ある場合、そのタイトル(資料名)を教えてください。

ガイドラインは定めていないが、警察の職務執行に当たっては、人権に配意した適正なものとなるよう、警察職員に対する教育を徹底している

追加質問

(1)滋賀県警察においては、職務質問の際における留意点として人種、国籍等に基づく差別的取り扱いを行わないように指導している。
(2)していません。

京都府警察

回答部署　広報応接課（電話回答）

1回目

① 管轄する警察学校で、生徒に対して人種差別防止に関する研修を行っていますか。研修を行っている場合、いない場合、その理由をお教えください。

② 貴警察本部で、所属する警察官に対して人種差別防止に関する研修を行っていますか。いる場合、いない場合、その理由をお教えください。

警察学校で、人種差別防止の研修をしている。警察本部でもしている。理由は、人権に関わりの深い職務を行っているため。

③ 人種差別に関する研修を行っている場合、⑴いつから行っているか ⑵対象は誰か ⑶頻度 ⑷研修の内容（講師の所属、使用している資料）―の４点を具体的に教えてください。

警察学校では平成15年ごろから、採用時の教養をしている。また、昇任の機会に、警察学校での授業の一環でも行っている。人種差別だけでなく、女性、子ども、高齢者、障害者、部落差別の問題も。本部では、全職員に行っている。2022年から、ポータルサイトにアクセスした職員に対して教育している。動画を視聴し、その後効果を測定する簡単なテストのようなものを行い、どれだけ理解しているかを測る。年間7回だが、努力義務であって必須ではない。主な人権問題として外国人編、国連の人権への取り組み。法務省作成の動画（「誰か」のことじゃない 外国人編）、「すべての人々の幸せを願って」）を使用。

④ 警察官による人種差別を防止するためのガイドライン等を作成していますか。ある場合、そのタイトル（資料名）を教えてください。

ガイドラインは作成せず。警察学校での講義は、教育主事が担当している。

追加質問

(1)職務質問の際における留意点として、人種・国籍等に基づく差別的取り扱いを行わないように指導しています。研修は、レイシャル・プロファイリングに特化したものではなくて、当たり前のことなので、研修を含めてあらゆる機会に教養をしています。
(2)当事者を招いての講演会はしていない。

大阪府警察

回答部署　教養課

1回目

① 管轄する警察学校で、生徒に対して人種差別防止に関する研修を行っていますか。研修を行っている場合、いない場合、その理由をお教えください。

行っている。
警察は、犯罪捜査等の人権に関わりの深い職務を行っていることから、人種差別防止を含めた各種人権教育を実施している。

② 貴警察本部で、所属する警察官に対して人種差別防止に関する研修を行っていますか。いる場合、いない場合、その理由をお教えください。

行っている。Q1のAと同じ。

③ 人種差別に関する研修を行っている場合、⑴いつから行っているか ⑵対象は誰か ⑶頻度 ⑷研修の内容(講師の所属、使用している資料)—の4点を具体的に教えてください。

(1)従来から継続的に実施している。
(2)全ての警察職員を対象としている。
(3)教養計画等に基づいて、実施している。
(4)警察学校の教官等が、以下のコンテンツを用いて講義・指導を行っている。
「職務倫理教養の手引(警察庁発行)」「人権の擁護(法務省発行)」「大阪府障がい者差別解消ガイドライン、性的マイノリティの人権問題についての理解増進に向けた取組(大阪府発行)」

④ 警察官による人種差別を防止するためのガイドライン等を作成していますか。ある場合、そのタイトル(資料名)を教えてください。

作成していない。当府警独自のガイドラインは作成していないが、警察の職務執行に当たっては人権に配意した適正なものとなるよう、警察職員に対する教育を徹底している。

追加質問

(1)大阪府警察においては、職務質問の際における留意点として、人種、国籍にもとづく差別的取扱いを行わないように指導している。
(2)部外講師のプライバシーを侵害するおそれがあるため、回答することは指し控える(原文ママ。「差し控える」の誤り)。

兵庫県警察

回答部署　教養課

1回目

① 管轄する警察学校で、生徒に対して人種差別防止に関する研修を行っていますか。研修を行っている場合、いない場合、その理由をお教えください。

行っています。

警察は、犯罪捜査等人権に関わりの深い職務を行っていることから、人種差別防止を含めた人権教育を実施しています。

② 貴警察本部で、所属する警察官に対して人種差別防止に関する研修を行っていますか。いる場合、いない場合、その理由をお教えください。

行っています。

警察は、犯罪捜査等人権に関わりの深い職務を行っていることから、人種差別防止を含めた人権教育を実施しています。

③ 人種差別に関する研修を行っている場合、(1)いつから行っているか (2)対象は誰か (3)頻度 (4)研修の内容(講師の所属、使用している資料)—の4点を具体的に教えてください。

(1)明確な開始時期は記録が存在しないため確たることは不明ですが、従来から継続して実施しています。
(2)全ての警察職員を対象としています。
(3)計画に基づき、通年で実施しているほか、社会情勢等に応じて、随時、実施しています。
(4)部外講師(兵庫県人権啓発協会等)による講義を行っており、部外講師が使用する資料は、講師に一任しております。※部外講師使用資料の参考:「人権文化をすすめるために」(兵庫県・(公財)兵庫県人権啓発協会発行)
その他、各業務を主管する担当課の職員が講師となって、人権に配慮した適正な職務執行について教育を行っています。

④ 警察官による人種差別を防止するためのガイドライン等を作成していますか。ある場合、そのタイトル(資料名)を教えてください。

ガイドラインの作成はありませんが、職務執行に当たっては人権に配慮した適正なものとなるよう、警察職員に対する教育を推進しています。

追加質問

(1)人種差別防止の研修の中で、レイシャル・プロファイリングについても教えている。
(2)外国人らの当事者を招いての講演会は行っていない。ただ、通訳業務に従事する職員向けの研修で、外国人の講師が、実体験を基にレイシャル・プロファイリングについて説明し、注意喚起することはあった。「職務質問の理由を求められた時に答えられなかったら、それはレイシャル・プロファイリングに当たる可能性がありますよ」と話していた。

奈良県警察

回答部署　警務課育成係

1回目

① 管轄する警察学校で、生徒に対して人種差別防止に関する研修を行っていますか。研修を行っている場合、いない場合、その理由をお教えください。

行っている。

警察の業務は、犯罪捜査等人権に関わりが深いことから、人種差別防止を含めた各種人権教養を実施している。

② 貴警察本部で、所属する警察官に対して人種差別防止に関する研修を行っていますか。いる場合、いない場合、その理由をお教えください。

行っている。

警察の業務は、犯罪捜査等人権に関わりが深いことから、人種差別防止を含めた各種人権教養を実施している。

③ 人種差別に関する研修を行っている場合、⑴いつから行っているか ⑵対象は誰か ⑶頻度 ⑷研修の内容（講師の所属、使用している資料）—の４点を具体的に教えてください。

(1)明確な開始時期は不明であるが、従来から継続的に実施している。
(2)全ての警察職員を対象としている。
(3)教養計画等に基づき、適切に実施している。
職務質問を実施する機会が多い地域警察官に対しては、様々な機会を捉えて、人権に配意した適正な職務執行について教育を実施している。
(4)「人権の擁護（法務省発行）」等を用いて講義を行っている。

④ 警察官による人種差別を防止するためのガイドライン等を作成していますか。ある場合、そのタイトル（資料名）を教えてください。

警察の職務執行に当たっては、人権に配意した適正なものとなるよう、警察職員に対する教育を徹底しているところであるが、ガイドラインの作成はしていない。

追加質問

(1)奈良県警察においては、職務質問の際における留意点として、人種、国籍等に基づく差別的取扱いを行わないよう指導している。
(2)部外講師のプライバシーを侵害する虞があるため、回答することは差し控える。

和歌山県警察

回答部署　広報県民課

1回目

① 管轄する警察学校で、生徒に対して人種差別防止に関する研修を行っていますか。研修を行っている場合、いない場合、その理由をお教えください。

行っている。警察は、犯罪捜査等の人権に関わりの深い職務を行っていることから、人種差別防止を含めた各種人権教育を実施している。

② 貴警察本部で、所属する警察官に対して人種差別防止に関する研修を行っていますか。いる場合、いない場合、その理由をお教えください。

行っている。警察は、犯罪捜査等の人権に関わりの深い職務を行っていることから、人種差別防止を含めた各種人権教育を実施している。

③ 人種差別に関する研修を行っている場合、⑴いつから行っているか ⑵対象は誰か ⑶頻度 ⑷研修の内容（講師の所属、使用している資料）―の４点を具体的に教えてください。

⑴明確な開始時期は記録が存在しないため確たることを申し上げることは困難であるが、従来から継続して実施している。

⑵全ての警察職員を対象としている。

⑶計画等に基づき、適切に実施している。

⑷部外講師（県の人権施策担当課等）による人権、人種差別防止に関する研修等を実施している。講師が使用する資料は講師に一任している。上記以外の機会においても、警察庁作成の「職務倫理教養の手引」等の資料を用い、人権、人種差別防止等に関する教育を、随時、実施している。

④ 警察官による人種差別を防止するためのガイドライン等を作成していますか。ある場合、そのタイトル（資料名）を教えてください。

ガイドライン等は作成していませんが、警察の職務執行に当たっては、人権に配意した適正なものとなるよう、警察職員に対する教育を徹底しているところである。

追加質問

⑴和歌山県警においては、職務質問の際における留意点として、人種、国籍等に基づく、差別的取扱いを行わないよう指導している。

⑵部外講師のプライバシーを侵害するおそれがあるため、回答することは差し控える。

鳥取県警察

回答部署　広報県民課、人材育成課

1回目

① 管轄する警察学校で、生徒に対して人種差別防止に関する研修を行っていますか。研修を行っている場合、いない場合、その理由をお教えください。

行っている。

警察は、犯罪捜査等の人権に関わりの深い職務を行っていることから、人種差別防止を含めた各種人権教育を実施している。

② 貴警察本部で、所属する警察官に対して人種差別防止に関する研修を行っていますか。いる場合、いない場合、その理由をお教えください。

行っている。

警察は、犯罪捜査等の人権に関わりの深い職務を行っていることから、実務を主管する課等が主体となり、人種差別防止を含めた各種人権教育を実施している。

③ 人種差別に関する研修を行っている場合、⑴いつから行っているか ⑵対象は誰か ⑶頻度 ⑷研修の内容（講師の所属、使用している資料）―の４点を具体的に教えてください。

(1)明確な開始時期は記録が存在しないため確たることを申し上げることは困難であるが、従来から継続的に実施している。
(2)全ての警察職員を対象としている。
(3)教養計画等に基づき、適切に実施している。
(4)警察学校の教官や部外購師が「人権の擁護（法務省発行）」等を用いて講義を行っている。

④ 警察官による人種差別を防止するためのガイドライン等を作成していますか。ある場合、そのタイトル（資料名）を教えてください。

警察官による人種差別を防止するためのガイドライン等は作成していないが、警察の職務執行に当たっては、人権に配意した適正なものとなるよう、警察職員に対する教育を徹底している。

追加質問

(1)鳥取県警察においては、職務質問の際における留意点として、人種、国籍等に基づく差別的取扱いを行わないよう指導しています。
(2)部外講師のルーツに関わる調査をしていないため分からず、プライバシーにも関わるので、回答は差し控えさせていただきます。

島根県警察

回答部署 広報県民課

1回目

① 管轄する警察学校で、生徒に対して人種差別防止に関する研修を行っていますか。研修を行っている場合、いない場合、その理由をお教えください。

警察は、犯罪捜査等その業務の特殊性から人権に関わりの深い職務を行っているため、人権※差別防止を含めた各種人権教育を実施している。

（※原文ママ。「人種」の誤り）

② 貴警察本部で、所属する警察官に対して人種差別防止に関する研修を行っていますか。いる場合、いない場合、その理由をお教えください。

人権に配意した活動に対する認識を高め、部下の指導に資するために、各種教養に併せて人権に関する研修を実施している。

③ 人種差別に関する研修を行っている場合、⑴いつから行っているか ⑵対象は誰か ⑶頻度 ⑷研修の内容（講師の所属、使用している資料）―の４点を具体的に教えてください。

⑴明確な開始時期は記録が存在しないため確たることを申し上げることは困難であるが、従来から継続的に実施している。

⑵昇任者等各種教養参加者を対象としている。

⑶教養計画等に基づき、適切に実施している。

⑷部外講師を招いた講義や各種実務担当者が行っている。資料は講師に一任している。

④ 警察官による人種差別を防止するためのガイドライン等を作成していますか。ある場合、そのタイトル（資料名）を教えてください。

ガイドラインの作成はしていない。

追加質問

⑴島根県警察においては、職務質問の留意点として、人種・国籍等に基づく差別的取扱いを行わないよう指導している。

⑵外国ルーツを問わず必要な部外講師を招いて必要な講演会を実施しているが、講演会に外国ルーツの方を呼んだ実績はない。

岡山県警察

回答部署　教養課

1回目

① 管轄する警察学校で、生徒に対して人種差別防止に関する研修を行っていますか。研修を行っている場合、いない場合、その理由をお教えください。

行っている。警察は、犯罪捜査等の人権に関わりの深い職務を行っていることから、人種差別防止を含めた各種人権教育を実施している。

② 貴警察本部で、所属する警察官に対して人種差別防止に関する研修を行っていますか。いる場合、いない場合、その理由をお教えください。

行っている。警察は、犯罪捜査等の人権に関わりの深い職務を行っていることから、職務執行の際の人種差別防止について指導・教養している。

③ 人種差別に関する研修を行っている場合、⑴いつから行っているか ⑵対象は誰か ⑶頻度 ⑷研修の内容（講師の所属、使用している資料）――の4点を具体的に教えてください。

⑴従来から継続的に実施している。

⑵全ての警察職員を対象としている。

⑶教養計画等に基づき、適切に実施している。

⑷警察学校の教官等が、「人権の擁護（法務省発行）」等を用いて講義・指導を行っている。

④ 警察官による人種差別を防止するためのガイドライン等を作成していますか。ある場合、そのタイトル（資料名）を教えてください。

作成していない。なお、人種差別等各種差別の防止を含め、適正な警察活動を推進するために必要な指示・教養については、上記回答のとおり適宜適切に実施している。

追加質問

⑴岡山県警察においては、職務質問の際における留意点として、人種・国籍等に基づく差別的取扱いを行わないよう指導している。

⑵部外講師のプライバシーを侵害するおそれがあるため、回答することは差し控える。

広島県警察

回答部署　広報課

1回目

① 管轄する警察学校で、生徒に対して人種差別防止に関する研修を行っていますか。研修を行っている場合、いない場合、その理由をお教えください。

人種差別防止を含めた各種人権教育を実施している。

② 貴警察本部で、所属する警察官に対して人種差別防止に関する研修を行っていますか。いる場合、いない場合、その理由をお教えください。

行っている。
警察は、国民の基本的人権と深い関わりを持つ職務であり、不偏不党かつ公平中正な職務執行が求められることから、人権に配意した職務執行に関しての教育を行う中で人種差別防止を含めた教育を実施している。

③ 人種差別に関する研修を行っている場合、(1)いつから行っているか (2)対象は誰か (3)頻度 (4)研修の内容(講師の所属、使用している資料)──の4点を具体的に教えてください。

(1)警察学校における人種差別防止研修の明確な開始時期は、記録が存在しないため、回答は困難であるが、従来から継続的に実施している。
(2)警察学校における学生(初任科生、初任補修科生)を対象としている。
(3)教養実施計画に基づき、適切に実施している。
(4)警察学校の教官が、職務倫理教養の手引き(令和4年9月、警察庁長官官房教養厚生課発出)を用いて「職務倫理」の授業において行っている。

④ 警察官による人種差別を防止するためのガイドライン等を作成していますか。ある場合、そのタイトル(資料名)を教えてください。

人種差別を防止するためのガイドラインは作成していないが、人権に配意した適正な職務執行となるよう、警察職員に対する教育を徹底している。

追加質問

(1)広島県警察においては、職務質問における留意点として、人種、国籍等に基づく差別的取扱いを行わないよう指導している。
(2)部外講師のプライバシーを侵害するおそれがあるため、回答することを差し控える。

山口県警察

回答部署　警務課、総務課

1回目

① 管轄する警察学校で、生徒に対して人種差別防止に関する研修を行っていますか。研修を行っている場合、いない場合、その理由をお教えください。

行っている。

警察は、人権に関わりの深い職務を行っていることから、人種差別を含めた各種人権教育を実施している。

② 貴警察本部で、所属する警察官に対して人種差別防止に関する研修を行っていますか。いる場合、いない場合、その理由をお教えください。

行っている。

警察は、人権に関わりの深い職務を行っていることから、人種差別を含めた各種人権教育を実施している。

③ 人種差別に関する研修を行っている場合、(1)いつから行っているか (2)対象は誰か (3)頻度 (4)研修の内容（講師の所属、使用している資料）―の4点を具体的に教えてください。

【警察学校】
(1)明確な開始時期は記録が存在しないため確たることを申し上げることは困難であるが、従来から継続的に実施している。
(2)初任教養期間の警察官
(3)教養計画に基づき実施
(4)警察学校の教官等が、法務省が作成している「人権の擁護」等を用いて、講義やゼミを実施
【警察本部】
(1)明確な開始時期は記録が存在しないため確たることを申し上げることは困難であるが、従来から継続的に実施している。
(2)県警本部や警察署の警察官
(3)警察学校での専科教養、定期的な警察本部や警察署での集合研修、各警察署等への巡回教養を実施
(4)業務を主管する所属の警察官が、事例等を基に実施

④ 警察官による人種差別を防止するためのガイドライン等を作成していますか。ある場合、そのタイトル（資料名）を教えてください。

人種差別を防止するためのガイドラインは作成していないが、警察の職務執行に当たっては人権に配意した適正なものとなるよう警察職員に対する教養を実施している。

追加質問

(1)山口県警察においては、研修の中で、職務質問の際における留意点として、人種、国籍などに基づく差別的な取扱いを行わないように指導しています。
(2)部外講師のプライバシーを侵害するおそれがあるため、回答することは差し控えます。

徳島県警察(警察学校)

回答部署　情報発信課

1回目

① 管轄する警察学校で、生徒に対して人種差別防止に関する研修を行っていますか。研修を行っている場合、いない場合、その理由をお教えください。

行っている。

警察は、犯罪捜査等の人権に関わりの深い職務を行っていることから、各種人権関係条約の概要について説明し、人権の国際的潮流について理解させるとともに、外国人に限らず、子ども、高齢者、障害者、同和問題等にかかわる各種人権課題と人権に配意した職務執行の重要性についても、採用時教養期間中に理解させる必要があることから、人種差別防止を含めた各種人権教育を実施しているところ。

③ 人種差別に関する研修を行っている場合、⑴いつから行っているか ⑵対象は誰か ⑶頻度 ⑷研修の内容(講師の所属、使用している資料)――の4点を具体的に教えてください。

(1)従来から継続的に実施している。なお、学校における教養は、初任科・初任補修科教科課程教授細目(類目)基準に基づいて計画・実施しているが、保存されている文書上、少なくとも平成20年から同基準に基づいて計画していることが確認でき、実施している。
(2)初任科及び初任補修科生を対象としている。
(3)《令和4年度》初任科課程1回、初任補修科課程1回の合計2回を実施している。
(4)警察学校に所属する講師が「人権の擁護(法務省発行)」等を用いて講義を行っている。

④ 警察官による人種差別を防止するためのガイドライン等を作成していますか。ある場合、そのタイトル(資料名)を教えてください。

ガイドラインは作成していないが、警察は、基本的人権を尊重した適正な職務執行を行わなければならないことなどから、今後も初任科及び初任補修科生に対する教養を実施していく。

徳島県警察(本部)

回答部署　情報発信課

1回目

② 貴警察本部で、所属する警察官に対して人種差別防止に関する研修を行っていますか。いる場合、いない場合、その理由をお教えください。

行っている。
警察は、犯罪捜査等の人権に関わりの深い職務を担っており、人間の基本的人権を尊重した適正な職務執行を行わなければならないことなどから、人種差別防止のみに特化した研修ではないが、人種差別防止に関する内容を盛り込んだ研修(専科教養)を実施している。このほか、警察庁長官官房教養厚生課から受領した人種差別防止に関する内容を盛り込んだ職務倫理教養資料である「職務倫理教養の手引」を各所属に配布し、人種差別防止意識の向上を図っている。

③ 人種差別に関する研修を行っている場合、⑴いつから行っているか ⑵対象は誰か ⑶頻度 ⑷研修の内容(講師の所属、使用している資料)―の4点を具体的に教えてください。

(1)従来から継続して実施している。
(2)主として県下警察署の地域警察官を対象としている。
(3)計画に基づき毎年実施している。
(4)警察本部担当課の職員が、人種差別防止を盛り込んだ資料に基づき教養している。

④ 警察官による人種差別を防止するためのガイドライン等を作成していますか。ある場合、そのタイトル(資料名)を教えてください。

ガイドラインは作成していないが、警察は、基本的人権を尊重した適正な職務執行を行わなければならないことなどから、今後も警察職員に対する教養を実施していく。

追加質問

(1)人種差別防止の研修の中で、人種差別的な職務質問(レイシャル・プロファイリング)についても教えている。研修は2021年11月から。
(2)当事者を招いての講演会は行っていない。

香川県警察

回答部署　警務課

1回目

① 管轄する警察学校で、生徒に対して人種差別防止に関する研修を行っていますか。研修を行っている場合、いない場合、その理由をお教えください。

行っています。

警察は、個人の権利と自由を保護するとともに、公共の安全と秩序を維持するという責務を担っており、その責務を果たすためには各種人権の理解や尊重、配慮が欠かせないことから、人種差別防止を含めた各種人権教育を実施しています。

② 貴警察本部で、所属する警察官に対して人種差別防止に関する研修を行っていますか。いる場合、いない場合、その理由をお教えください。

行っています。

警察は、犯罪捜査等の様々な場面で人権に関わりの深い現場活動を行っていることから、人権に配意した適正な職務執行を行うよう、人種差別防止を含めた各種人権教育を実施しています。

③ 人種差別に関する研修を行っている場合、⑴いつから行っているか ⑵対象は誰か ⑶頻度 ⑷研修の内容（講師の所属、使用している資料）—の４点を具体的に教えてください。

⑴教養開始の明確な時期は分かりかねますが、従来から継続的に実施しています。

⑵全ての警察職員を対象としています。

⑶年間を通じて実施しています。

⑷警察学校の教官、警察本部の担当課員等や部外講師が、法務省発行の「人権の擁護」等を用いた講義や人権に配意した適正な職務執行についての教養を実施しています。

④ 警察官による人種差別を防止するためのガイドライン等を作成していますか。ある場合、そのタイトル（資料名）を教えてください。

ガイドラインは作成していませんが、上記のとおり、人権に配意した適正な職務執行を行うよう、人種差別防止を含めた各種人権教育を実施しています。

追加質問

⑴香川県警察においては、職務質問の際における留意点として、人種国籍等に基づく差別的取扱いを行わないよう指導しています。

⑵部外講師のプライバシーを侵害する虞があるため、回答は差し控えさせていただきます。

愛媛県警察

回答部署　地域課（電話回答）

1回目

① 管轄する警察学校で、生徒に対して人種差別防止に関する研修を行っていますか。研修を行っている場合、いない場合、その理由をお教えください。

人権に関わりの深い職務を行っていることから、人種差別防止を含めた各種人権教育を実施しています。

② 貴警察本部で、所属する警察官に対して人種差別防止に関する研修を行っていますか。いる場合、いない場合、その理由をお教えください。

人権に配意した適正な職務執行の推進を図ることを目的として、人種差別防止を含めた人権に関する研修を実施しています。

③ 人種差別に関する研修を行っている場合、⑴いつから行っているか ⑵対象は誰か ⑶頻度 ⑷研修の内容（講師の所属、使用している資料）―の４点を具体的に教えてください。

(1)明確な開始時期は記録が存在しないため確たることを申し上げることは困難ですが、従来から継続的に実施しています。

(2)全ての警察職員が対象

(3)教養計画に基づき適切に実施

(4)部外講師などが「人権の擁護（法務省発行）」などを用いて講義を行っています。

・事例：警察学校では、初任科生を対象に教養計画に基づき部外講師を招聘し、教養資料（法務省の「人権の擁護」など）を活用した教養を実施して外国人等に関わる各種人権課題と人権に配意した職務執行の重要性についての理解を図っている。部外講師は、県の人権啓発センターから招聘している。警察本部では、令和4年11月に警察本部に部外講師を招聘し、本部員は対面受講、署員はオンライン受講で人権に関する研修会を開催した。

④ 警察官による人種差別を防止するためのガイドライン等を作成していますか。ある場合、そのタイトル（資料名）を教えてください。

警察の職務執行に当たっては人権に配意した適正なものとなるよう職員に対する各種人権教育を実施しているところであり、人種差別の防止に特化したガイドラインは作成していません。

追加質問

(1)愛媛県警察においては、職務質問の際における留意点として、人種・国籍等に基づく差別的な取り扱いを行わないよう指示しています。レイシャル・プロファイリングという言葉を使っての研修を行っているかに関して、個別具体的な指導内容については回答を差し控えます。

(2)当事者を招いての講演は知る限りありません。

高知県警察

回答部署 総務課

1回目

① 管轄する警察学校で、生徒に対して人種差別防止に関する研修を行っていますか。研修を行っている場合、いない場合、その理由をお教えください。

行っている。警察は、犯罪捜査等、人権に関わりの深い職務に従事していることから、人種差別防止を含め、各種人権教育を実施している。

② 貴警察本部で、所属する警察官に対して人種差別防止に関する研修を行っていますか。いる場合、いない場合、その理由をお教えください。

行っている。警察は、犯罪捜査等、人権に関わりの深い職務に従事していることから、人種差別防止を含め、各種人権教育を実施している。

③ 人種差別に関する研修を行っている場合、(1)いつから行っているか (2)対象は誰か (3)頻度 (4)研修の内容(講師の所属、使用している資料)—の4点を具体的に教えてください。

(1)従来から継続して実施している。開始時期は記録が存在しないため、確たることを申し上げることは困難である。
(2)全ての警察職員を対象としている。
(3)計画に基づき、適切に実施している。
(4)警察学校の教官等や部外講師が「人権の擁護(法務省発行)」等を用いて講義を行っている。

④ 警察官による人種差別を防止するためのガイドライン等を作成していますか。ある場合、そのタイトル(資料名)を教えてください。

作成していない。警察の職務執行に当たっては人権に配意した適正なものとなるよう、都度、警察職員に対する教育を継続している。

追加質問

(1)高知県警察においては、職務質問の際における留意点として、人種、国籍等に基づく差別的取扱いを行わないよう指導している。
(2)部外講師のプライバシーを侵害するおそれがあるため回答することは差し控える。

福岡県警察

回答部署　教養課、地域総務課

1回目

① 管轄する警察学校で、生徒に対して人種差別防止に関する研修を行っていますか。研修を行っている場合、いない場合、その理由をお教えください。

行っています。警察は、各種警察活動を通じて、様々な人々と関わり合うことから、人種差別防止を含めた各種人権教育を実施しています。

② 貴警察本部で、所属する警察官に対して人種差別防止に関する研修を行っていますか。いる場合、いない場合、その理由をお教えください。

行っています。警察は、各種警察活動を通じて、様々な人々と関わり合うことから、各種教養を実施しています。

③ 人種差別に関する研修を行っている場合、⑴いつから行っているか ⑵対象は誰か ⑶頻度 ⑷研修の内容（講師の所属、使用している資料）―の4点を具体的に教えてください。

(1)従来から継続的に実施しています。
(2)全ての警察職員を対象としています。
(3)警察学校では教養計画に基づき実施し、本部では通年で実施しています。
(4)警察学校の教官等が、「職務倫理教養の手引（警察庁発行）」「人権の擁護（法務省発行）」等を使用しています。

④ 警察官による人種差別を防止するためのガイドライン等を作成していますか。ある場合、そのタイトル（資料名）を教えてください。

作成していませんが、警察の職務執行に当たっては、人権に配意した適正なものとなるよう、職員に対する教養を実施しています。

追加質問

(1)福岡県警察においては、職務質問の際における留意点として、人種、国籍等に基づく差別的取扱いを行わないよう指導している。
(2)部外講師のプライバシーを侵害するおそれがあるため、回答することは差し控える。

佐賀県警察

回答部署　警務課教養係

1回目

① 管轄する警察学校で、生徒に対して人種差別防止に関する研修を行っていますか。研修を行っている場合、いない場合、その理由をお教えください。

行っている。

警察は、職務の性質上、犯罪捜査をはじめ、人権に関わりの深い職務を行っており、全ての警察職員が豊かな人権感覚を身につけることが重要であることから、人種差別防止を含めた各種人権教養を実施している。

② 貴警察本部で、所属する警察官に対して人種差別防止に関する研修を行っていますか。いる場合、いない場合、その理由をお教えください。

行っている。

外国人の人権に配意した適正な職務執行を推進するため、人種差別防止の教養を実施している。

③ 人種差別に関する研修を行っている場合、(1)いつから行っているか (2)対象は誰か (3)頻度 (4)研修の内容（講師の所属、使用している資料）― の4点を具体的に教えてください。

(1)明確な開始時期は記録等が存在しないため確たることを申し上げることは困難であるが、従来から継続的に実施している。
(2)全ての警察職員を対象としている。
(3)随時実施している。
(4)警察学校の教官等や部外講師が教養を実施している。
・活用資料　職務倫理教養の手引（警察庁長官官房教養厚生課発出）

④ 警察官による人種差別を防止するためのガイドライン等を作成していますか。ある場合、そのタイトル（資料名）を教えてください。

人種差別を防止するためのガイドラインは作成していないが、警察の職務執行に当たっては人権に配意した適正なものとなるよう、警察職員に対する教養を徹底しているところである。

追加質問

(1)佐賀県警察においては、職務質問の際における留意点として、人種国籍等に基づく差別的取扱いを行わないよう指導している。
(2)部外講師のプライバシーを侵害するおそれがあるため、回答することは差し控える。

熊本県警察

回答部署　教養課

1回目

① 管轄する警察学校で、生徒に対して人種差別防止に関する研修を行っていますか。研修を行っている場合、いない場合、その理由をお教えください。

行っている。

警察はあらゆる活動を通じて様々な人と接する機会が多く、各種人権に関わる課題等を理解する必要があるため。

② 貴警察本部で、所属する警察官に対して人種差別防止に関する研修を行っていますか。いる場合、いない場合、その理由をお教えください。

行っている。上記質問1の回答と同じ。

③ 人種差別に関する研修を行っている場合、⑴いつから行っているか ⑵対象は誰か ⑶頻度 ⑷研修の内容（講師の所属、使用している資料）—の４点を具体的に教えてください。

⑴正確な開始時期は判明しないが、従来から継続して実施している。

⑵全ての警察職員を対象としている。

⑶計画に基づき、通年で行っている。

⑷当該職務を主管する所属の職員が行っている。

④ 警察官による人種差別を防止するためのガイドライン等を作成していますか。ある場合、そのタイトル（資料名）を教えてください。

作成していない。

追加質問

⑴ある。熊本県警察においては、職務質問の際における留意点として人権※・国籍等に基づく差別的取扱を行わないように指導している。

（※原文ママ。「人種」の誤り）


⑵ない。

大分県警察

回答部署　警務課

1回目

① 管轄する警察学校で、生徒に対して人種差別防止に関する研修を行っていますか。研修を行っている場合、いない場合、その理由をお教えください。

行っている。警察は、国民の権利・自由を擁護する立場にあり、人権に対する正しい理解をもって、人権を尊重した警察活動を推進しなければならないため、人権※差別防止を含めた各人権教育を実施しているところ。

（※原文ママ。「人種」の誤り）

② 貴警察本部で、所属する警察官に対して人種差別防止に関する研修を行っていますか。いる場合、いない場合、その理由をお教えください。

人権に配慮した職務執行や外国人との共生の在り方等について、研修、会議等のあらゆる機会をとらえて行っている。警察は、国民の権利・自由を擁護する立場にあり、人権に対する正しい理解をもって、人権を尊重した警察活動を推進しなければならないため、人権※差別防止を含めた各人権教育を実施しているところ。

（※原文ママ。「人種」の誤り）

③ 人種差別に関する研修を行っている場合、⑴いつから行っているか ⑵対象は誰か ⑶頻度 ⑷研修の内容（講師の所属、使用している資料）—の４点を具体的に教えてください。

(1)学校教養：明確な開始時期は記録が存在しないため確たることを申し上げることは困難であるが、従来から継続して実施している。
職場教養：明確な開始時期は記録が存在しないため確たることを申し上げることは困難であるが、従来から継続して実施している。保存されている文書上、少なくとも令和4年度以降から実施されていることが確認できる。
(2)学校教養：管轄する警察学校の生徒
職場教養：全ての警察職員
(3)（令和4年度）教養計画等に基づき、適切に実施している。
(4)学校教養：教官等が随時講義を行ったり、「人権の擁護（法務省発行）」を学生に配布し、教養の参考としている。
職場教養：部外講師を招聘しての講義をはじめ、研修、会議等のあらゆる機会にとらえて各人権教育を実施している。

④ 警察官による人種差別を防止するためのガイドライン等を作成していますか。ある場合、そのタイトル（資料名）を教えてください。

ガイドラインは作成していないが、警察の職務執行に当たっては人権に配慮した適正なものとなるよう、警察職員に対する教育を徹底しているところ。

追加質問

(1)職務質問を含めた研修の中で、レイシャル・プロファイリングという言葉を使って教養を行っている。
(2)外国にルーツのある人を招いての（人種差別的な職務質問に）特化した教養は行っていない。

長崎県警察

回答部署　警務課、地域課

1回目

① 管轄する警察学校で、生徒に対して人種差別防止に関する研修を行っていますか。研修を行っている場合、いない場合、その理由をお教えください。

研修を行っている。警察は、犯罪捜査等の人権に関わりの深い職務を行っていることから人種差別防止を含めた各種人権教育を実施しているところである。

② 貴警察本部で、所属する警察官に対して人種差別防止に関する研修を行っていますか。いる場合、いない場合、その理由をお教えください。

研修を行っている。警察は、犯罪捜査等の人権に関わりの深い職務を行っていることから人種差別防止を含めた各種人権教育を実施しているところである。

③ 人種差別に関する研修を行っている場合、(1)いつから行っているか (2)対象は誰か (3)頻度 (4)研修の内容(講師の所属、使用している資料)—の4点を具体的に教えてください。

(1)明確な開始時期は記録が存在しないため確たることを申し上げることは困難であるが、従来から継続的に実施している。
(2)全ての警察職員を対象としている。
(3)あらゆる教育の機会を通じて、適切に実施している。
(4)警察学校や各所属の警察職員、部外講師が「人権の擁護(法務省発行)」、「職務倫理教養の手引(警察庁作成)」を用いて人権教育を行っている。

④ 警察官による人種差別を防止するためのガイドライン等を作成していますか。ある場合、そのタイトル(資料名)を教えてください。

人種差別を防止するためのガイドラインは作成していない。警察の職務執行に当たっては人権に配意した適正なものとなるよう、警察職員に対する教育を徹底しているところである。

追加質問

(1)長崎県警では、職務質問の際における留意点として、人種・国籍などに基づく差別的取り扱いを行わないように研修などで指導しております。
(2)当事者の講演について、部外講師のプライバシーを侵害する恐れがあるため、回答することは差し控えます。

宮崎県警察

回答部署　人財育成課

1回目

① 管轄する警察学校で、生徒に対して人種差別防止に関する研修を行っていますか。研修を行っている場合、いない場合、その理由をお教えください。

行っている。警察は、国民の権利・自由を守るという立場にあり、その活動の多くが人権に深く関わっていることから、人権を尊重した警察活動を徹底するため、人権の尊重に関する教養や人種差別防止を含めた各種人権教育を実施している。

② 貴警察本部で、所属する警察官に対して人種差別防止に関する研修を行っていますか。いる場合、いない場合、その理由をお教えください。

行っている。各所属に対する教養の指示、警察職員に対する教養資料などを用いた教養や、部外講師による講演会などを実施している。警察職員は、現実の社会に存在する様々な人権課題を正しく理解し、適切な職務執行を図ることが強く求められることから、全職員に対し、継続的に人種差別防止を含めた各種人権教育を実施している。

③ 人種差別に関する研修を行っている場合、⑴いつから行っているか ⑵対象は誰か ⑶頻度 ⑷研修の内容（講師の所属、使用している資料）―の４点を具体的に教えてください。

(1)従来から継続的に実施している。
(2)全ての警察職員を対象としている。
(3)通年で計画的に実施している。
(4)部外講師による研修を行っており、資料は講師に一任している。

④ 警察官による人種差別を防止するためのガイドライン等を作成していますか。ある場合、そのタイトル（資料名）を教えてください。

ガイドラインは策定していないが、警察職員の職務執行が人権に配意した適正なものとなるよう、関係機関が作成する資料を活用するなどして、警察職員に対する教育を徹底しているところである。

追加質問

(1)宮崎県警察においては、職務質問の際における留意点として、人種、国籍等に基づく差別的取扱いを行わないよう指導している。
(2)部外講師のプライバシーを侵害するおそれがあるため、回答することは差し控える。

鹿児島県警察

回答部署　警務課（電話回答）

1回目

① 管轄する警察学校で、生徒に対して人種差別防止に関する研修を行っていますか。研修を行っている場合、いない場合、その理由をお教えください。

警察学校で研修を行っている。警察は犯罪捜査の他、様々な場面で人権に深い関わりを持つ職務を行っていることから、人種差別防止を含めた各種人権教育を実施している。人種差別に特化した研修は行っていない。

② 貴警察本部で、所属する警察官に対して人種差別防止に関する研修を行っていますか。いる場合、いない場合、その理由をお教えください。

本部では各種研修会等の中で人権に配意した職務執行を行うよう教養を行っている。

③ 人種差別に関する研修を行っている場合、⑴いつから行っているか ⑵対象は誰か ⑶頻度 ⑷研修の内容（講師の所属、使用している資料）—の４点を具体的に教えてください。

(1)従来から継続的に実施している
(2)全ての警察職員が対象
(3)令和4年度、適宜適切に実施
(4)警察学校における授業については、教官や部外講師が法務省人権擁護局が発行している「人権の擁護」等を用いて講義を行っています。各種研修会等は各主管課の担当者や他県の技能指導官を招聘して、人権に配意した職務執行に触れた内容の教養を行っている。

④ 警察官による人種差別を防止するためのガイドライン等を作成していますか。ある場合、そのタイトル（資料名）を教えてください。

ガイドラインは作成していない。
警察の職務執行に当たっては人権を尊重した公正で誠実な職務を遂行するよう、警察職員に対する教養を徹底して行っております。

追加質問

(1)人種差別的な職務質問について研修で触れることもあるが、人種差別に特化した研修は行っておりません。
(2)通訳など様々な研修の中で、外国人講師を招くことがあるが、人権に関する研修ではない。外国人講師が職務質問について研修で触れることもあるが、特化しているわけではない。

沖縄県警察

回答部署　教養課

1回目

① 管轄する警察学校で、生徒に対して人種差別防止に関する研修を行っていますか。研修を行っている場合、いない場合、その理由をお教えください。

行っている。

② 貴警察本部で、所属する警察官に対して人種差別防止に関する研修を行っていますか。いる場合、いない場合、その理由をお教えください。

行っている。

③ 人種差別に関する研修を行っている場合、⑴いつから行っているか ⑵対象は誰か ⑶頻度 ⑷研修の内容（講師の所属、使用している資料）──の４点を具体的に教えてください。

(1)学校教養及び職場教養ともに、明確な開始時期は記録が残存しないため不明であるが、従前から継続的に実施されている。※学校教養：警察学校において実施する研修　職場教養：各所属において実施する研修

(2)学校教養：警察学校に入校する職員
職場教養：各所属に勤務する職員

(3)学校教養：各課程ごとに実施している
職場教養：年1回以上

(4)学校教養：講師の所属…警察学校職員等　資料…「人権の擁護（法務省発行）」等
職場教養：講師の所属…各所属の幹部職員　資料…「人権の擁護（法務省発行）」等

④ 警察官による人種差別を防止するためのガイドライン等を作成していますか。ある場合、そのタイトル（資料名）を教えてください。

ガイドライン等は作成していない。

追加質問

(1)沖縄県警察においては、職務質問の際における留意点として、人種、国籍等に基づく差別的取り扱いを行わないよう指導している。

(2)なし

國﨑万智　くにざき・まち
1991年生まれ。ハフポスト日本版記者。前職の西日本新聞記者時代から人権に関わる社会問題を取材。レイシャル・プロファイリングを巡る一連の報道で新聞労連の第18回疋田桂一郎賞（2023年度）を受賞。共著に『レイシャル・プロファイリング　警察による人種差別を問う』（大月書店）がある。本書は初の単著。

お巡《まわ》りさん、その職務《しょくむ》質問《しつもん》大丈夫《だいじょうぶ》ですか？

ルポ　日本《にほん》のレイシャル・プロファイリング

2024年 6月15日　初版発行

著者　國﨑万智
カバーイラスト　藤見よいこ
パブリッシャー　木瀬貴吉
装丁　安藤順

発行　ころから
〒114-0003　東京都北区豊島4-16-34-307
Tel 03-5939-7950
Mail　office@korocolor.com
Web-site　http://korocolor.com

ISBN 978-4-907239-73-2
C0036

mrmt

ころからの本

ヤジと民主主義

北海道放送報道部道警ヤジ排除問題取材班
1800円+税

978-4-907239-65-7

ころからの本

九月、東京の路上で

1923年関東大震災　ジェノサイドの残響

加藤直樹

1800円+税

978-4-907239-05-3